Pazit Barki e Pierangela Diadori

PRO E CONTRO 1

conversare e argomentare in italiano

livello intermedio

libro dello studente

Si ringraziano i quotidiani, le riviste e i fotografi che hanno concesso l'autorizzazione a riprodurre gli articoli e le foto qui presentati.

Bonacci editore

Via Paolo Mercuri, 8 - 00193 Roma
(ITALIA)
tel. 06/68.30.00.04 - fax 06/68.80.63.82
e-mail: bonacci @ flashnet.it

ISBN 88-7573-325-2

Dedicato ai nostri bambini:

a Carol e Federico
P.B.

a Francesco e Beatrice
P.D.

«Pro e Contro 1», il cui impianto generale è opera di Pierangela Diadori, è stato progettato congiuntamente dalle due autrici nelle sue singole parti. Specificatamente, Pazit Barki ha realizzato le 24 sezioni tematiche; Pierangela Diadori ha scritto l'introduzione e la «Guida per l'insegnante».

Il contenuto delle argomentazioni dei pro e contro non riflette necessariamente il pensiero delle autrici.

Indice

Introduzione

La capacità di riconoscere le opinioni degli altri (e le relative argomentazioni) è fondamentale nel mondo di oggi, considerando la "Babele" di messaggi che ci tempestano ogni giorno dai mass media. Altrettanto importante è la capacità di esprimere il proprio pensiero e di farlo valere rispetto alle opinioni, talvolta divergenti, degli altri. Tutto questo diventa ancora più difficile quando ci si esprime in una lingua che non è la nostra, specialmente quando si comunica con parlanti nativi, rispetto ai quali siamo (o ci sentiamo) inferiori non solo per le competenze linguistiche ma anche per le conoscenze di tipo socioculturale.

Che sia dunque indispensabile favorire lo sviluppo della funzione argomentativa è ben chiaro ai docenti di italiano così come agli studenti, anche se spesso questo si realizza solo in generiche attività di "discussione" o "conversazione" in classe. Quello che manca sono spesso gli strumenti di lavoro e le linee teoriche specifiche per realizzare questo obiettivo in un contesto formativo.

Pensando prevalentemente allo studente straniero adulto, abbiamo individuato, dopo uno spoglio intensivo di giornali e quotidiani italiani, 24 temi di attualità su cui non sempre le opinioni sono concordi, tanto meno quelle riportate dalla stampa. Ognuna di queste tematiche è stata riassunta in una domanda leggermente provocatoria, tale da stimolare nell'interlocutore come risposta immediata un "Sì" o un "No". Qualche esempio: "L'eutanasia è un reato?", "I soldi fanno la felicità?", "Anche le donne devono fare il servizio militare?", e via dicendo.

Ad ognuno di questi 24 temi corrisponde una sezione del libro, composta da un titolo e un'immagine, da una serie di articoli e da una scaletta di argomenti a favore o contro il tema centrale.

Il titolo e l'immagine

Nella prima pagina di ogni sezione compare la domanda-guida sul tema controverso affrontato dagli articoli selezionati nelle due pagine seguenti, accompagnata da un'immagine emblematica riferita all'argomento. Questa pagina può essere utilizzata dal docente nella fase di motivazione dell'unità didattica, per stimolare un'attività di brain-storming con la classe (sul titolo, sull'immagine, sul tema o su un suo aspetto) ed attivare così le preconoscenze sull'argomento dal punto di vista linguistico e socioculturale (aree semantiche, impliciti culturali diversi nella cultura di partenza e in quella di cui si studia la lingua). Lo scopo è anche quello di favorire la capacità di formulare ipotesi e di facilitare la comprensione dei testi scritti presentati nelle pagine successive.

Gli articoli selezionati

Nella seconda e terza pagina di ogni sezione sono raccolti alcuni articoli brevi (o parti di articoli). Si tratta di una selezione di testi focalizzati su un *tema* controverso, capaci di stimolare una presa di posizione da parte del lettore, o che comunque si prestano ad una serie di osservazioni relative ai pro e ai contro. Questi brani, tratti da una vasta gamma di riviste e quotidiani (di cui forniamo un prospetto nell'elenco delle pubblicazioni utilizzate), offrono un panorama di quelli che sono i temi di discussione più attuali nell'Italia degli anni Novanta e come tali possono fornire anche occasioni di approfondimento di tipo socioculturale, oltre che linguistico.

La *funzione comunicativa* fondamentale dei testi selezionati è quella argomentativa, che si realizza nel presentare una o più tesi da un punto di vista soggettivo o oggettivo. Alcuni riportano un'opinione chiaramente a favore o contro il tema centrale della sezione, altri si limitano a descrivere, narrare o esporre situazioni e fatti. Sarà compito dell'insegnante individuare i testi più adatti al tipo di attività che deciderà di svolgere con la classe, fermo restando lo scopo primario di sviluppare negli studenti la capacità di argomentare oralmente e per scritto.

Per quanto riguarda il *canale comunicativo*, sono stati scelti testi scritti, tratti da pubblicazioni non specialistiche, ma sarebbe utile che il docente potesse disporre anche di altri materiali audio- e videoregistrati sullo stesso tema (conversazioni autentiche, telefonate, brani di film, dibattiti radiofonici o televisivi centrati sullo stesso argomento).

I brani selezionati possono essere definiti *autentici*, nel senso che si tratta di testi tratti da giornali e riviste italiani, non indirizzati a stranieri e tanto meno creati con fini didattici; tuttavia, sono stati operati tagli e impaginazioni tali da renderli più comprensivi e più facilmente utilizzabili per fini glottodidattici. In particolare abbiamo preferito articoli *brevi* (intorno a un massimo di 500 parole), o parti di articoli più lunghi, purché contenenti uno o più nuclei informativi chiaramente individuabili: l'insegnante potrà scegliere quelli più idonei per uno sfruttamento intensivo, riservando gli altri ad attività di tipo diverso.

Le sezioni tematiche non sono graduate, dal momento che i testi sono di vario grado di *difficoltà* linguistica e culturale (a livello di scelte lessicali, ma anche di struttura della frase e di impliciti contenuti nel testo), tutti comunque adatti a studenti di livello intermedio (con alle spalle un minimo di 150 ore di apprendimento della lingua e cultura italiana).

Gli articoli sono accompagnati frequentemente da *illustrazioni* e *grafici*, in modo da fornire ai docenti anche degli elementi non verbali come strumento su cui costruire le attività didattiche (dalla motivazione, alla comprensione, alla produzione orale e scritta); tutti riflettono comunque (con pochi adattamenti) l'impaginazione originale del giornale da cui sono tratti, risultando gradevoli e di facile lettura.

Le scalette dei pro e dei contro

La quarta ed ultima pagina di ogni sezione tematica contiene una scaletta di argomenti a favore e altrettanti contro la tesi riassunta nella domanda-guida. Si tratta di un elenco di brevi frasi, ciascuna delle quali potrà essere il punto di partenza per un discorso orale e scritto da fare sviluppare agli studenti. Molte delle argomentazioni così presentate sono tratte dagli stessi articoli riportati nella sezione tematica, altre riflettono opinioni diffuse nell'Italia degli anni Novanta, essendo state tratte dai giornali analizzati a vasto raggio per la selezione dei testi.

I destinatari e gli obiettivi di apprendimento

Questo volume è stato pensato per aiutare il docente di italiano (come lingua seconda in Italia, come lingua straniera fuori d'Italia, ma anche come madrelingua) che intenda sviluppare nei propri studenti la capacità di:

– analizzare testi scritti in italiano con funzione argomentativa su temi controversi di grande attualità nella società contemporanea,

– argomentare in italiano, sia oralmente che per scritto, esprimendo in maniera logica e chiara la propria opinione, e valendosi dei pro e dei contro per affermare la propria tesi in maniera antagonistica contro quelle di altro o collaborativa a sostegno di tesi affini.

Considerate le tematiche individuate per ogni sezione e il livello di difficoltà dei testi, ci sembra che il volume sia adatto a studenti adolescenti o adulti, con competenze medio-alte di italiano (può trattarsi di studenti stranieri con un minimo di 150 ore di apprendimento di italiano alle spalle, ma anche di studenti di madrelingua italiana che frequentano la scuola superiore).

Il volume può essere utile come sussidio da affiancare al normale libro di testo, per favorire le attività di discussione in classe e l'elaborazione di testi argomentativi (per esempio come guida alla produzione scritta di temi di attualità); come testo di base nei corsi di conversazione, specialmente per stranieri adulti; come testo per l'autoapprendimento, per chi intenda esercitarsi sulla comprensione di articoli giornalistici.

È giusto tenere un animale in città?

Un cucciolo per amico

Crescere insieme a cani o gatti. È un bene per il bambino. Che acquista serenità e sicurezza

Un cane come compagno di giochi. Fin da bambini. Per crescere insieme, per sviluppare il senso dell'amicizia vera. «La presenza di un cane o di un gatto non solo è consigliabile, ma fondamentale per lo sviluppo del piccolo» afferma Tilde Giani Gallino, psicologa dell'età evolutiva. «I vantaggi che i bambini traggono dal fortissimo legame che si instaura con gli animali sono molti. L'affetto di cui è capace un gattino o l'allegria di un cane regalano ai bimbi una grande serenità, rendendoli quindi meno esposti ai rischi di depressione. Ma trascorrendo il tempo a rincorrere gli amici a quattro zampe i piccoli hanno anche la possibilità di crescere più forti e sani fisicamente».

L'amicizia che lega bambini e animali è molto speciale perché si sviluppa con regole completamente diverse da quelle che caratterizzano i rapporti con gli adulti, ma anche dei piccoli tra loro. «Bimbo e animale parlano in una lingua tutta loro. Il magico rapporto che nasce è davvero insostituibile» continua Giani Gallino. «La fiducia incondizionata che il bambino ripone nel cucciolo non verrà mai tradita. E per giocare con lui rinuncerà facilmente al solito cartone animato».

Un bimbo che vive con un cane o un gatto dimostra anche una maggior sicurezza nelle proprie capacità. «L'animale non dirà mai al suo padroncino che è brutto e cattivo come spesso accade tra i bambini. E questo contribuisce a rafforzare la fiducia dei piccoli in se stessi» spiega Majla Paci, neuropsichiatra infantile.

NUOVE TERAPIE

Una cura da cani

Vivere con una bestiola domestica aiuta molti malati

Curarsi con gli animali è un arte antica. Ne sanno qualcosa i rinoceronti, da cui i cinesi traggono una sostanza afrodisiaca; e le tigri, dalle cui ossa si ricava un liquido miracoloso; o gli orsi, assai ricercati dai farmacisti orientali per la loro bile. Ma da qualche anno le terapie che vedono protagonisti gli animali hanno assunto un carattere, fortunatamente per loro, assai diverso. Infatti, specie le bestiole domestiche sono utilizzate nella cura di diversi disturbi, per lo più di natura psicologica.

ANIMALI & SENTIMENTI

Provano emozioni, gli animali, oppure i loro comportamenti sono dettati solo dall'istinto? È un mistero. Un naturalista, senza alcun tentennamento, propenderebbe per la seconda ipotesi per paura di essere accusato di antropocentrismo. Eppure a tutti noi è capitato di osservare gli animali e scorgere atteggiamenti così simili ai nostri che si potrebbero definire quasi umani. Il cane che ci accoglie festoso sulla porta di casa lo fa certo perché da noi riceve cibo e protezione, ma ci piace pensare che queste siano manifestazioni di affetto spontaneo, che gli manchiamo quando siamo lontani. I sentimenti, quindi, non sarebbero una prerogativa umana.

Ammalati di benessere

Eccessi pericolosi. *E' facile cadere nella tentazione di applicare agli animali un concetto umano di benessere. Così, l'eccessiva abbondanza di cibo, umanamente desiderabile [ma, nelle forme estreme, poco opportuna anche per noi], può nuocere a certe specie e alle loro dinamiche relazionali, fino a diventare distruttiva.*

Eco - Giugno 1995

QUATTRO ZAMPE DI SIMPATIA

Mi scuso innanzitutto per l'argomento così poco "spirituale" della mia lettera e anche per il tono sdegnoso con il quale mi esprimo e che dovrebbe essere riservato a problemi più seri. Sento però che dentro di me si è via via insinuato un sentimento così poco cristiano da essere vicino all'odio: odio nei confronti dei proprietari di cani e di chi non fa nulla per contrastare la loro arrogante inciviltà. Discussioni varie, lungo le vie cittadine, ai giardini o in tv; l'amore verso gli animali, giusto e sacrosanto, che viene sbandierato per coprire varie meschinità nei confronti degli esseri umani... Si è arrivati ad un vero ribaltamento di valori tanto che, se un cane morde un bambino, la colpa è di quest'ultimo che non dovrebbe correre, né andare in bici nelle vicinanze dei numerosi "quadrupedi" lasciati liberi, e che liberi avrebbero il diritto di restare.

A mio figlio ho sempre detto di stare attento, e quante limitazioni gli ho dovuto imporre per "colpa" non dei cani ma dei loro padroni. E come tante altre mamme ho dovuto ripetere all'infinito: «No, fermati... Guarda dove metti i piedi... Attento là... Dammi la mano e stammi vicino...». Che stress e che isteria per evitare, con vere e proprie gimcane, i vari escrementi disseminati in ogni luogo, anche negli spazi dei giochi riservati ai bambini o davanti al portone di casa. I nostri bambini hanno tantissime cose, troppe, ma nelle nostre città hanno ben poco spazio e libertà. Tocca proprio a noi genitori limitare i "cuccioli d'uomo" per lasciare liberi il più possibile, senza guinzaglio e museruola, gli animali?

Non è "scandaloso", tutto questo, nei confronti dei piccoli? Non è possibile educare anche gli animali? Oppure comporterebbe una fatica e una pazienza che mal si addicono al comodo egoismo di moltissimi dei loro proprietari, che si perdono in smancerie e premure unicamente per la razza canina? Faccio dunque appello alla "nostra" famiglia perché ci sia più buona volontà da parte di tutti. Basterebbe così poco.

Un saluto cordialissimo da parte di chi sa rispettare e nutrire affetto per gli animali, ma che vorrebbe poter amare, senza complessi e senza frustrazioni, tutte le creature, anche quelle umane, anche i padroni dei cani. **Anna Brusoni**

di L. Z., Famiglia Cristiana 3.5.1995

È giusto tenere un animale in città?

PRO

1. Fanno compagnia a molte persone sole.
2. È il migliore compagno di giochi per un bambino.
3. Non sporcano le città se si usano norme igieniche (le palette, i sacchetti ecc.).
4. Con un cane si è obbligati a fare salubri passeggiate quotidiane.
5. Sono usati con successo in molte terapie di varie patologie.
6. Danno sicurezza e protezione.
7. Rendono le persone più altruiste.
8. Con il loro calore e affetto possono rieducare alla convivenza civile anche criminali e malati mentali.
9. Gli animali hanno sentimenti. Alcuni non potrebbero vivere senza l'affetto dell'uomo.
10. L'affetto dell'uomo può sostituire la compagnia di altri animali della stessa specie.
11. Tenendoli in casa possono essere protetti, curati e salvati da pericoli esterni.
12. Si può controllarne la procreazione.
13. Ricevono la migliore dieta, medicine e vaccini vitali.
14. Non devono lottare per la sopravvivenza.
15. La loro esistenza non avrebbe senso se non avessero un padrone da amare.

CONTRO

1. Soffrono in spazi angusti.
2. Sporcano le città.
3. Sono vittime del benessere: troppo cibo, poco moto ecc.
4. Perdono le loro abitudini naturali (per es.: i cani da caccia, da pastorizia ecc.).
5. Sono abbandonati alla prima occasione.
6. Soffrono di solitudine per molte ore al giorno.
7. Sono separati da altri animali della loro specie.
8. Anche fuori casa non hanno spazi a loro misura.
9. Spesso sono destinati alla non procreazione (anche con interventi chirurgici).
10. Tenere animali esotici in casa è una scelta egoistica che non rispetta il loro diritto alla libertà.
11. Non è igienico portare cani in spazi dove giocano i bambini.
12. Possono trasmettere malattie.
13. Lasciano cattivi odori negli spazi comuni dei condomini.
14. Trasferire bisogni e comportamenti umani negli animali è un limite della visione antropocentrica.

2

Le città di oggi sono luoghi invivibili da cui si deve fuggire?

DOSSIER '95

MILANO — Si parte da Bolzano, polo di attrazione del benessere economico-sociale, e si arriva a Caltanissetta, epicentro dei segnali di malessere. Sono questi i due punti estremi nella nuova mappa sulla qualità della vita in Italia tracciata dall'indagine annuale del Sole-24 Ore del lunedì. La provincia leader e l'ultima classificata sono separate da distanze che sembrano incolmabili: 29,5 milioni di reddito procapite a Bolzano (ma con l'insidia del supercarovita) contro i 16,5 di Caltanissetta; solo il 2% di iscritti alle liste di collocamento, da una parte, e dieci volte tanto (20,75%), dall'altra. E ancora: 2,2 omicidi all'anno ogni 100mila abitanti contro 20,2; una spesa media al teatro e ai concerti di 15.293 lire per ogni cittadino contro 1.333; 49,7 associazioni ogni centomila residenti contro 15,6.

Prima ancora che le statistiche evidenziassero la più alta qualità della vita nelle piccole città rispetto alle grandi, gli italiani avevano già cominicato a scegliere "con i piedi". Cioè spostandosi, cambiando residenza, andando in quei centri dove si riduce l'inquinamento (quello dell'aria e quello acustico, ma anche quello luminoso, che oscura le notti stellate), dove cresce il rapporto tra dotazione di infrastrutture e numero di abitanti (per esempio, gli asili nido nelle grandi città sono introvabili), dove il parcheggio non è un dramma, dove lo spostamento non è un'avventura e dove il costo della vita può ridursi notevolmente anche grazie alla diffusione di centri commerciali che si collocano fuori dalle grandi città.

Questa urbanizzazione alla rovescia, peraltro, non è solo italiana, ma è comune a tutti i maggiori Paesi industriali, mentre all'opposto nei Paesi in via di sviluppo si assiste all'estensione di megalopoli il cui numero di abitanti si conta a decine di milioni. L'Istat di recente ha diffuso un'analisi sulla popolazione nei grandi comuni italiani (ossia le città con più di 250mila abitanti). Da cui emerge un calo generalizzato, anche se differenziato, dei residenti: -15% a Milano e Torino tra l'81 e il '91 (ossia gli anni dei censimenti), -2% a Roma e Palermo. Si fugge dalle grandi città, ma per andare dove?

Il Sole - 24 ore, 18.12.1995

I risultati della gara

Punteggio medio riportato da ciascuna provincia nei sei gruppi di indicatori

	Province	Punti
1	Bolzano	504
2	Parma	481
3	Belluno	479
4	Grosseto	477
5	Siena	476
6	Sondrio	474
7	Reggio Emilia	469
8	Piacenza	468
9	Isernia	458
10	Gorizia	455
11	Pesaro/Urbino	452
12	Bologna	451
13	Arezzo	447
	Cremona	447
15	Padova	441
16	Modena	439
17	Trieste	437
18	Ancona	435
19	Vercelli	432
	Trento	432
21	Macerata	431
22	Aosta	428
23	Perugia	427
24	Mantova	424
25	Ravenna	423
	Pistoia	423
27	Forlì	422
28	Verona	421
29	Cuneo	420
30	Nuoro	419
	Pordenone	419

	Province	Punti
	Pescara	419
33	Oristano	418
	Genova	418
35	Terni	417
	Firenze	417
	Milano	417
38	Livorno	416
39	Rieti	415
40	La Spezia	413
41	Asti	412
42	Ascoli Piceno	411
43	Novara	410
44	Teramo	409
45	Roma	408
	Ferrara	408
	L'Aquila	408
48	Pavia	406
	Massa Carrara	406
50	Vicenza	404
	Rovigo	404
	Savona	404
	Alessandria	404
54	Potenza	403
	Brescia	403
56	Lucca	402
57	Pisa	400
58	Imperia	399
59	Torino	397
60	Campobasso	395
61	Udine	394
62	Ragusa	393
63	Varese	391

	Province	Punti
64	Treviso	390
	Matera	390
66	Viterbo	389
67	Como	388
	Chieti	388
69	Bergamo	378
70	Venezia	376
71	Sassari	374
72	Foggia	369
	Siracusa	369
74	Frosinone	368
75	Cosenza	366
76	Messina	364
77	Cagliari	363
78	Enna	361
79	Reggio Calabria	357
80	Avellino	356
81	Taranto	355
	Catania	355
	Benevento	355
84	Catanzaro	352
85	Lecce	349
	Salerno	349
87	Palermo	348
88	Caserta	346
	Trapani	346
90	Latina	345
91	Agrigento	341
92	Napoli	340
93	Brindisi	337
94	Bari	336
95	Caltanissetta	329

Fonte: elaborazione del Sole 24-Ore del lunedì

Fino a ieri facevano tutte le sere le due di notte fra cena e cinema; consideravano il "centro" come il luogo più ambito delle città; la carriera o l'impegno ineluttabilmente al primo posto. Poi all'improvviso la grande fuga: figli e bagagli accatastati in un pulmino, se ne sono andati a vivere in campagna, lanciando anatemi verso l'aborrita metropoli e occhiate di commiserazione per chi si ostina a restarci.

Galline, casali, orto e vigneto sono i nuovi argomenti di conversazione di ogni singola cena fra amici o nelle pause di lavoro. C'è chi già ce li ha o chi li vorrebbe avere: domani, fra due anni, o quando andrà in pensione.

Mai come di questi tempi la città sembra aver perso quel fascino che negli anni '60 ne faceva un autentico polo di attrazione fatale per chi viveva, vergognandosene molto, nella noiosa provincia. Oggi, sempre meno si sente parlare delle grandi possibilità culturali e sociali che la metropoli può offrire, anche perché traffico paralizzante, congestioni burocratiche e ritmi frenetici assorbono nella pura sopravvivenza la maggior parte del tempo di vita. La città nei racconti dei suoi abitanti è sempre più vissuta come una dolorosa necessità, un ambiente che fa male alla salute come il più rischioso dei lavori in fabbrica, un regime di semi-libertà continuo che si fa più pesantemente sentire come tale a ogni ritorno dalle vacanze.

I TECNO-BUCOLICI

Si portano dietro fax, modem, computer e telefonini cellulari dell'ultimissima generazione: ciò gli consente di continuare in modo indolore la propria professione, in casolari o borghi anche lontanissimi dalla città. Sono architetti, ingegneri, scrittori e creativi di ogni tipo.

Fabio Pitoni, *36 anni, architetto. Si è trasferito nel 1985 con la moglie, lo studio e i soci a Labro, piccolo borgo medievale a 100 km da Roma. Comunica e spedisce i progetti via cavo in tutta Europa.*

I PENDOLARI

Mantengono il lavoro in città, dove si recano ogni giorno, affidandosi quotidianamente ai capricci del traffico o dei (rari) trasporti pubblici extraurbani. I più fortunati sono quelli con orario elastico (giornalisti, medici, docenti universitari) o con orari sfalsati rispetto a quelli della maggioranza.

Maddalena Tuccelli, *40 anni, vive con marito, figli, un gatto e due galline a Formello, vicino Roma. È impiegata al Poligrafico dello Stato, collocato al centro della capitale, ma la sua giornata di lavoro comincia alle 7,30. Ha ottenuto, inoltre, di lavorare un'ora in più al giorno in cambio del sabato libero. Dalle quattro e mezza in poi, dunque, è a casa in campagna dove può curare orto, figli e molti hobbies.*

La nuova ecologia 11/91

Il vicino ci inquina

L'inquinamento ambientale ha ormai assunto i caratteri dell'emergenza: a volte, basta un vicino di casa senza troppi scrupoli a rovinarci l'esistenza. In Inghilterra, come estremo rimedio, è stata appena avanzata una proposta di legge che prevede perfino la galera per il vicino fracassone e inquinatore. E noi, qui in Italia, che cosa possiamo fare per tutelarci? Come difendere il nostro ambiente domestico dalle esalazioni di una tintoria non in regola con lo scarico dei fumi tossici, o dai pericoli di una discarica abusiva di copertoni? E se la pizzeria sotto casa produce odori sgradevoli?

Donna Oggi 27.7.1995

Mi ha fatto scappare l'equo canone

colloquio con Sebastiano Vassalli

Non è uno scrittore da campagna chic, genere villa quattrocentesca sui colli fiesolani. No: la sua è campagna-campagna, quella con le risaie e le zanzare. Sebastiano Vassalli (autore per Einaudi di libri famosi come "La chimera", "Marco e Mattio", "Il Cigno") vive su un misterioso satellite della Padania agricola tra il pianeta Novara e l'asteroide Vercelli. Gli abbiamo chiesto se era disposto a teorizzarlo, seppur scherzosamente, il famoso buen retiro.

Vassalli, per favore: teorizzi.

«Ho scelto la campagna in quanto vittima dell'equo canone. A Novara, dove vivevo, o compravi una casa o niente. E adesso che sono qui apprezzo la qualità della nuova situazione.

Ci sono delle regole fisse per mantenere questa qualità?

«Direi che il buen retiro, in Italia, non esiste. O esiste solamente per sottolineare una distanza mentale da qualcosa. Il mio rifugio è vicino a un comune noto unicamente come casello autostradale. Ho il telefono, l'automobile. Lavoro esattamente come lavorerei in uno studio del centro di Milano. Anzi: farei cambio volentieri con la casa del Manzoni in piazza Belgiojoso».

Non mi dica che nel centro di una metropoli c'è più quiete che in un villaggio.

«Il villaggio può essere insopportabile. Già il rapporto umano con i propri vicini non è evitabile. Ritirarsi in Valtellina, o nella Valle d'Aosta assediata da un traffico infernale, può essere una cosa tremenda. Le ultime oasi, forse, sono negli angoli nascosti delle grandi città».

A che cosa pensa?

«Nel cuore di Parigi sopravvivono piccole botteghe come ce n'erano nei paesini, dove si trova di tutto. A New York ci sono angoli dove puoi tranquillamente scomparire. Qualche mese fa mi è capitato di dormire al Centro culturale italiano di Lisbona, tra la Sinagoga e l'Orto botanico. Di notte si sentiva cadere la polvere. In campagna questo non succede più da tempo».

Le città d'oggi sono luoghi invivibili da cui si deve fuggire?

PRO

1. Vivere in città è come stare in una grande prigione.
2. La campagna non ha l'inquinamento, il traffico e il rumore delle città.
3. In campagna si possono avere rapporti umani veri.
4. Nelle città regna un'atmosfera di violenza invivibile.
5. In città anche i vicini di casa possono provocare stress.
6. Pur vivendo in campagna, con telefono, fax e Internet non si è tagliati dal mondo.
7. La TV, la radio e le buone letture possono sostituire gli spettacoli della città.
8. In campagna il cibo è molto più sano. Si può coltivare il proprio orto, il frutteto ed allevare degli animali.
9. È preferibile la noia della provincia allo stress cittadino.
10. I bambini e gli animali domestici hanno più libertà in campagna.
11. In campagna ci sono valori autentici e non prevale l'egoismo.

CONTRO

1. La città offre opportunità di lavoro che non esistono altrove.
2. In campagna si corre il rischio di "addormentarsi" culturalmente.
3. La città offre spettacoli culturali. Si possono fare incontri di ogni genere.
4. Nelle grandi città si trova la migliore assistenza sanitaria.
5. In città si trova ogni genere di negozi, biblioteche, uffici.
6. Nelle grandi città si può scomparire nell'anonimato.
7. Nelle città ci sono ancora angoli intatti storicamente dove vive il passato.
8. In città si può vivere al "passo coi tempi".
9. In città si può andare a piedi a scuola e al lavoro, in campagna molto spesso si deve usare l'automobile.
10. Abitare in campagna e lavorare in città crea lo stress da pendolarismo.
11. Oggi le campagne sono così sviluppate che ormai hanno perso il loro aspetto bucolico.
12. La città apre la mente a varie forme di diversità.

I soldi fanno la felicità?

3

IL PERSONAGGIO

La curiosa storia di Jeffrey Stiefler, che annuncia le dimissioni

"Amex addio, faccio il papà"

di ELENA POLIDORI

AH, com'è difficile restare padri... «mentre i figli crescono e le mamme imbiancano» canta Franco Battiato. Ma Jeffrey Stiefler, direttore generale dell'American Express, colosso delle carte di credito, ha trovato una sua strada: si ritira, si dimette, vuole fare il papà a tempo pieno, vuole stare il più possibile vicino alla famiglia. Una scelta senza precedenti: il signor Stiefler difatti sedeva in un posto da 4 milioni di dollari l'anno (oltre 6 miliardi di lire) più benefits vari, tra cui l'uso di quattro jet della *company* per missioni private e di lavoro.

Ma sono i risultati delle trasformazioni sociali e familiari per cui gli uomini si sentono evidentemente più responsabili; per certi versi sembra sfumare il ruolo del maschio di successo. Certo è che a fronte di tanti casi di donne che conquistano posti di potere, cominciano a segnalarsi quelli di uomini che il potere ce l'hanno già e scelgono di rinunciarci.

Ora, sarà anche perché il 49enne Stiefler ha due divorzi al suo attivo e non intende ripetere l'esperienza con la nuova moglie; sarà anche perché pare fosse diventato meno forte del suo rivale Kenneth Chenault nella corsa alla successione del presidente dell'istituto Harvey Golub, ma non c'è dubbio che la famiglia ha pesato e pesa nella sua decisione, annunciata peraltro a settembre ma resa pubblica (e amplificata) solo adesso, con un lungo articolo di prima pagina compaso sul *Wall Street Journal*.

Ammette il dirigente-papà: «Ho capito di non essere in grado di fare bene il manager e il padre allo stesso tempo. A questi livelli sono due cose incompatibili. Ho bisogno di maggiore equilibrio tra lavoro e famiglia e anche di tempo per me».

Perciò, Stiefler stabilisce di diventare, d'ora in avanti, un padre premuroso. E - scrive il giornale americano - c'è poco della sua storia personale che giustifichi o spieghi una simile decisione: nato in un sobborgo di New York, genitori negozianti, studi appropriati, tanto sport, tanta brillante carriera, tanti soldi. Eppure Stiefler, adesso, sceglie il privato.

Ed è la prima volta, a memoria di giornalista, che il padre-materno, si fa vedere anche nel mondo spietato della grande finanza internazionale Ancora più significativa se si pensa che i casi di abbandono di manager, a questi livelli, seguono sempre e soltanto brucianti sconfitte nella lotta di potere all'interno delle società. La sua, di lotta di potere, invece, è stata solo «marginale» nella scelta finale.

Comunque sia il processo di femminilizzazione del padre, se così si può dire, finora compariva solo nelle pubblicità, negli sceneggiati televisivi, nei film. Fino appunto al caso Stiefler.

«L'avere un figlio ingrato è più doloroso/ del morso di un serpente», diceva Shakespeare. E forse anche a questo deve aver pensato il manager americano che ora si mostra così dedito e incline alla famiglia, così desideroso di ritrovare una vita privata meno stressata, dopo aver passato anni e anni ad occuparsi della «Company», sempre fotografato al fianco di Golub in quelle convention-fiume che fanno spesso le società Usa. Come Batman e Robin, notava il *Wall Street Journal*.

«Se non si ha un buon padre, si deve procurarsene uno», soleva ripetere Nietzsche. Ci può anche pensare l'American Express.

La Repubblica 23.11.1995

Tutto è perduto fuorché la FELICITÀ

Più che il denaro poté la famiglia

La famiglia è considerata il più importante fattore di felicità. Lo si apprende dal sondaggio Swg eseguito il 27 febbraio su un campione di 600 persone rappresentativo dell'intera popolazione.

1 LEI SI SENTE MOLTO, POCO O PER NIENTE FELICE?

	%
Molto	31,4
Abbastanza	44,3
Poco	20,5
Per niente	2,3
Non sa, non risponde	1,5

4 CHE COSA, SECONDO LEI, PUO' DARE LA FELICITA'?

	%
La famiglia	52,0
La salute	44,5
I figli	31,0
L'amore	28,7
Avere fede in Dio	21,8
Il benessere economico	19,5
Vivere in pace	15,5
Sentirsi padroni di sè	12,0
Servire gli altri	9,7
Il successo	6,3
Sentirsi parte di un movimento collettivo	5,5
Il sesso	2,9
L'avventura	2,2
I divertimenti	1,4
Avere potere sugli altri	0,5
Non sa, non risponde	0,8

"Innanzi tutto la Famiglia. Poi la Salute e una triade di ferro: Figli, Amore, Fede in Dio. A distanza il Benessere. Più giù il Successo. Divertimenti, Avventura e Sesso sembrano diventati dei tabù: citati solo da due italiani su cento"

«Sughero abbandonato alla corrente»

La felicità secondo gli scrittori di ieri e di oggi

Che cos'è la felicità? In un verso, una citazione, una poesia, ecco alcune risposte d'autore.

EUGENIO MONTALE: «Felicità del sughero abbandonato alla corrente che stempra attorno i ponti rovesciati e il plenilunio pallido nel sole: barche sul fiume, agili nell'estate e un murmure stagnante di città».

ARISTOTELE: «Esercitare liberamente il proprio genio: ecco la felicità».

FEDOR DOSTOEVSKIJ: «L'uomo è infelice perché non sa che è felice: chi lo saprà, sarà felice nel medesimo istante».

LEV TOLSTOJ: «Il segreto della felicità non è di fare sempre ciò che si vuole, ma di volere sempre ciò che si fa».

LEONARDO SINISGALLI: «Si può prendere la felicità/ per la coda come un passero».

VITALIANO BRANCATI: «La felicità è la ragione».

UGO FOSCOLO: «Coloro che non furono mai sventurati, non sono degni della loro felicità».

ANDRÉ GIDE: «Non distinguere Dio dalla felicità e poni tutta la tua felicità nell'istante».

GIOVANNI PASCOLI: «Un punto!...così passeggero, che in vero passò non raggiunto, ma bello così, che molto ero felice, felice, in quel punto!».

JACQUES PRÉVERT: «Bisognerebbe tentare di essere felici, non foss'altro per dare l'esempio».

MARCEL PROUST: «Quel prolungamento, quella moltiplicazione possibile di se stessi, che è la felicità».

CHARLES M.SCHULZ: «La felicità è un cucciolo caldo».

Una dirigente bancaria diventa suora di clausura

LASCIA I SOLDI PER ANDARE IN CONVENTO

Paola Cappai, una delle più stimate funzionarie del Banco di Sardegna, ha abbandonato la sua brillante carriera per entrare in convento - Ha preso i voti perpetui ed è entrata nell'Ordine delle Clarisse cappuccine: si chiama suor Paola Maria dell'Eucarestia - Prima di entrare in clausura ha detto: «Il Signore mi ha chiamato due volte: la seconda volta non potevo deluderlo»

HA RINUNCIATO A OGNI RICCHEZZA **Cagliari. La dottoressa Paola Cappai, 48 anni, ex funzionaria del Banco di Sardegna, nel momento in cui, in abito da suora, ha preso i voti perpetui davanti all'arcivescovo di Cagliari, monsignor Alberti. L'ex dirigente, prima di entrare in convento con il nome di suor Paola Maria dell'Eucarestia, ha rinunciato a ogni ricchezza, destinando ai poveri tutti i suoi risparmi. Ma anche durante la sua attività di funzionaria di banca ha sempre dedicato il tempo libero alle persone bisognose.**

I soldi fanno la felicità?

PRO

1. Ci si può togliere ogni capriccio.
2. Si è invidiati e ammirati da tutti.
3. È più facile fare conquiste amorose.
4. Si può avere un elevato stile di vita.
5. Si possono conoscere persone famose ed importanti.
6. Si può avere la migliore assistenza medica.
7. Si può fare del bene a chi è in condizione economica inferiore.
8. Si può dar vita a progetti filantropici e umanitari.
9. L'importante è goderseli senza danneggiare o sfruttare nessuno.
10. Permettono di viaggiare, arricchirsi culturalmente e migliorare la propria persona.

CONTRO

1. L'amore è molto più importante.
2. Per molti la famiglia è il massimo bene.
3. Se non si ha la salute non si ha la felicità.
4. Danno adito all'invidia della gente.
5. Il denaro può farci allontanare da amici e famiglia.
6. Non si sa se gli amici sono sinceri o cercano solo favori.
7. Ci sono valori che non sono "acquistabili".
8. I valori della solidarietà e per alcuni della religione danno altre gratificazioni e gioie più profonde.
9. Questa società dei consumi e del materialismo è destinata a soccombere prima o poi.
10. Il talento e gli affetti non muoiono mai, i soldi possono sparire da un momento all'altro.
11. Fanno diventare egoisti.
12. Alterano le priorità della vita.
13. Troppi soldi creano troppi problemi. Meglio non averne!

Meglio essere grassi che infelici?

8. PIÙ CHILI, PIÙ INFARTO

I chili di troppo si sa pesano sul cuore. E superare del 30 per cento il proprio peso ideale aumenta nettamente il rischio di essere colpiti da un infarto. Fino a oggi però si riteneva che giunti alla soglia della maturità ci si potesse concedere tranquillamente il lusso di ingrassare un po'.

Niente da fare: almeno per quanto riguarda il gentil sesso, se si vuole restare sane bisogna mantenersi in linea per tutta la vita.

A sostenerlo è Walter C. Willet, dell'Università di Harvard, che ha appena concluso una ricerca durata 14 anni su più di 100 mila donne americane. Dice il ricercatore statunitense: «Superati i 35 anni, più crescono i chili, più aumenta la probabilità di un infarto. Per esempio, se una donna ingrassa tra i cinque e gli otto chili, la probabilità di ammalarsi e di morire per una malattia di cuore cresce del 25 per cento». Se i chili in più sono tra nove e dodici il rischio sale del 60 per cento, per arrivare addirittura al 200 per cento oltre i dodici chili.

«Il sovrappeso», continua Wilett, «è il peggior nemico del cuore: causa un aumento di grassi e zuccheri nel sangue e alza la pressione. Per gli uomini, poi, è ancora più dannoso che per le donne: nei primi infatti il grasso tende ad accumularsi nella parte superiore del corpo, dove influisce più negativamente sul cuore, mentre nelle donne si deposita soprattutto dai fianchi in giù».

Metti una sera a cena. Niente mucca pazza, ovviamente. Ma nemmeno pesce, se fosse al mercurio? Le verdure sanno di pesticida. Pasta? Solo se il sugo è leggero, e comunque mai abbinata alle proteine. Un dolce? Ma fa ingrassare. Ma è buono. Ma che c'entra questo.

Scene di ordinaria follia intorno alla tavola degli italiani. Che forse adorano rivedere in tv Totò che si abbuffa di spaghetti con le mani, ma non si sognano nemmeno di imitarlo. Meglio: lo sognano e basta. Perché il cibo è diventato il nostro ultimo vero peccato, ora che il sesso non scandalizza più. L'unico di cui pentirsi. L'unico per cui non sia prevista misericordia.

Una nevrosi che colpisce tutti: dai bambini che si sentono ormai dire dalle mamme, "attento che ingrassi", alle donne che non se lo dicono nemmeno più, ai militanti dell'alimentazione senza grassi-senza zuccheri-senza sapore, ai pendolari tra pasticceria e palestra. Eppure parliamo tanto di cibo, leggiamo tanto di cibo, sappiamo tanto di cibo. Mangiarlo, è un'altra storia. Nelle edicole italiane le riviste di gastronomia ed enologia sono sempre più numerose: in un anno le vendite sono aumentate rispettivamente dell'8,8 e del 6,4 per cento. Ma su altri periodici imperversano titoli sui veleni nel piatto, diventare magri e restarci, conciliare gusto e linea, magari cibo e sesso. *L'Espresso* dedica copertine alla magrezza "politically correct", a giugno il mensile *Come* regala la guida ai 200 migliori ristoranti d'Italia e nello stesso tempo pubblica un servizio su "Digiunare per essere felici". Non siamo soli, comunque. Il *Nouvel Observateur* strilla in prima pagina *Manger sans risques*, e dichiara che presto saranno sempre più popolari due parole, *alicament* (contrazione di *aliment* e *médicament*, alimento e farmaco) e *nutraceutique* (*nutrition* e *pharmaceutique*, alimento e farmaceutica): erano più suggestivi *soupe à l'oignon* e *filet au poivre*, ma anche i francesi ormai chiedono al cibo di proteggerli dalle malattie, assottigliargli la figura, allungargli la vita.

Già, perché il nostro rapporto nevrotico con il cibo è molto di più che un fatto di calorie. È anche una questione di cuore. «Mangiare non è solo introdurre proteine o carboidrati. È piacere, godere della vita», sostiene Lella Ravasi Bellocchio, psicanalista junghiana. «Far da mangiare è il modo attraverso cui comunichiamo agli altri il nostro amore, la nostra cura, la nostra inventiva.

La spesa ieri e oggi

	1996	1980
carne	29,6	32,9
frutta e verdura	23,3	24,3
latte e formaggi	15,5	13,9
pane e cereali	14	12,4
pesce	6,8	4,5
oli e grassi	3,9	4,6
caffè, tè, cacao	2,2	2,8
altro	4,7	4,6

Nei dati forniti dall'Istituto Nielsen, ecco come sono cambiati i consumi alimentari delle famiglie italiane dal 1980 ad oggi: mangiamo meno carne e meno grassi, preferendo pesce, formaggi, latte, pane e cereali.

Magri è meglio? Macché. I grassi vincono

Giuliano Ferrara esibisce tranquillo i suoi 175 chili. Bud Spencer (in basso, nella foto) e Luciano Pavarotti portano con disinvoltura i loro 150. E intanto gli stilisti si specializzano in taglie forti, si aprono locali per soli obesi (come il «Café 44» di New York) e si organizzano concorsi di bellezza riservati ai più rotondi. Il grasso non è più un tabù. Anzi, in America i «ciccioni» sono addirittura una lobby capace di influenzare la Casa Bianca e di trascinare in tribunale chiunque attenti alla loro dignità. Come quelle compagnie di assicurazione che li rifiutano come clienti, considerandoli soggetti a rischio, o come quella catena di cinema che vietava l'ingresso agli spettatori ingombranti. Le cause giudiziarie si sono concluse naturalmente con la vittoria dei grassi. E in Italia? Li si applaude. Anche quest'anno a Forcoli (Pisa) si è tenuto il concorso «Miss Cicciona». Ad aggiudicarsi la corona è stata per la seconda volta consecutiva Angela Masini, che è salita sul podio con i suoi 164 chili. *C.N.*

Donna Oggi, 10.8.1995

Sangue da depressi

Colesterolo basso? Umore nerissimo

Chi ha il colesterolo basso, è protetto più di altri dall'infarto, ma ha una maggiore probabilità di morire per suicidio. Una ricerca recente dimostra anche che un basso tenore di colesterolo caratterizza le persone depresse. E un gruppo di ricercatori finlandesi, guidato da Jyrki Penttinen, ha svelato il perché. Lo studioso ha trovato che in alcune persone i livelli di colesterolo si abbassano perché l'organismo scatena contro di esso una reazione immunitaria che provoca anche la riduzione della melatonina, ormone responsabile del colore della pelle, ma anche, in parte, del tono dell'umore. Sarebbe proprio la caduta della melatonina a generare depressione nelle persone con poco colesterolo. (S. Riva)

Meglio essere grassi che infelici?

4

PRO

1. I grassi sono buontemponi che ispirano simpatia.
2. Non bisogna farsi condizionare dai personaggi artificiali imposti dai media.
3. Mangiare molto non fa male a nessuno. Perché sentirsi in colpa?
4. Le persone con colesterolo basso sono spesso depresse: non muoiono d'infarto ma rischiano il suicidio.
5. È ora di smetterla con l'infamia che colpisce i grassi: bisogna rispettare la loro dignità.
6. Le diete creano nevrosi e non risolvono nulla: meglio dimenticarle!
7. Non si ottiene il benessere con diete e palestre! Bisogna trovarlo dentro di noi.
8. Palestra, cibo ecologico, pratiche di rilassamento: sono un lusso per chi ha tempo e denaro da buttare!
9. È meglio vivere per mangiare che mangiare per vivere.
10. A tavola si consumano millenni di tradizioni culturali.
11. Stare a tavola è un rito, uno stare insieme.
12. Non è un caso che gli attori grassi siano i più amati dal pubblico.
13. Fallire una dieta rende ancora più infelici che avere qualche chilo in più.
14. I *well being addicts* (tossicomani del benessere) sono dei fanatici di mode transitorie. Professano certe idee per snobismo ed esibizionismo.
15. Obesi non si diventa, si nasce: c'è un gene difettoso (Ob) che non manda il messaggio della sazietà al cervello.
16. Giunti alla maturità ci si può concedere il lusso d'ingrassare.

CONTRO

1. Chi mangia troppo aumenta il rischio di essere colpito da infarto.
2. Il sovrappeso può causare un'infinità di problemi fisici.
3. Il vecchio detto *mens sana in corpore sano* è sempre valido.
4. Curare le malattie dovute al sovrappeso costa molti soldi al sistema sanitario.
5. Nella nostra cultura occidentale c'è troppo spreco alimentare.
6. La cultura dell'"abbuffata" è uno schiaffo morale alla tragedia della fame nel mondo.
7. I grassi non possono indossare ciò che vogliono, è un limite.
8. Il cibo non può essere il centro dell'attività umana, serve solo a sopravvivere.
9. I grassi sono persone che non sanno porsi limiti e controllarsi.
10. Non tutti i casi di obesità hanno origini genetiche. Spesso la causa è lo stress, la noia e la cattiva educazione alimentare.
11. È necessario rimanere magri per tutta la vita, anche nella maturità.
12. L'equilibrio psico-fisico fa parte delle nuove tendenze *politically correct*.
13. Dieta ed esercizio fisico: è l'unica via per il benessere e per non invecchiare precocemente.
14. L'obesità nell'infanzia crea dei bambini bersagliati dai loro compagni con conseguenze psicologiche negative.

La donna di oggi si realizza solo nella carriera?

IL TRONO DI PANNA

1. Alle donne non interessa il potere nel mondo del lavoro. L'apparente aggressività delle «donne in carriera» è solo un atteggiamento di autodifesa per i torti che subiscono da sempre. Alla donna non interessa il comando, né per conquistarlo è disposta a calpestare i piedi altrui.

2. Alle donne non interessa il potere di decidere da sole se mettere oppure no al mondo un figlio. Anzi, ogni donna sarebbe ben lieta di dividere con il proprio partner il travaglio di una scelta così difficile. Ma quando non lo fa e decide da sola è perché non ritiene il compagno degno di parteciparvi.

3. Alle donne non interessa il potere di essere considerate il sesso forte.

4. Alle donne non interessa il potere di governare a tutti i costi. L'importante non è partecipare alla kermesse politica, essere elette per spartirsi la torta, diventare dive della televisione o finire sulla copertina dei giornali. Come ci hanno detto le protagoniste femminili della campagna elettorale in corso, alle donne interessa un seggio in Parlamento solo per aiutare l'Italia a voltare pagina.

Insomma, le donne pretendono di esprimersi liberamente, di far carriera se ne hanno le capacità professionali, di far figli o non farne quando e se vogliono, di non dover giocare in difesa quando sono circondate da uomini, di non essere strumentalizzate a scopi commerciali o politici. Ma, a pensarci bene, questi non sono poteri: sono diritti. ■

Moda - Marzo, 1994

Che cosa conta di più per una donna?

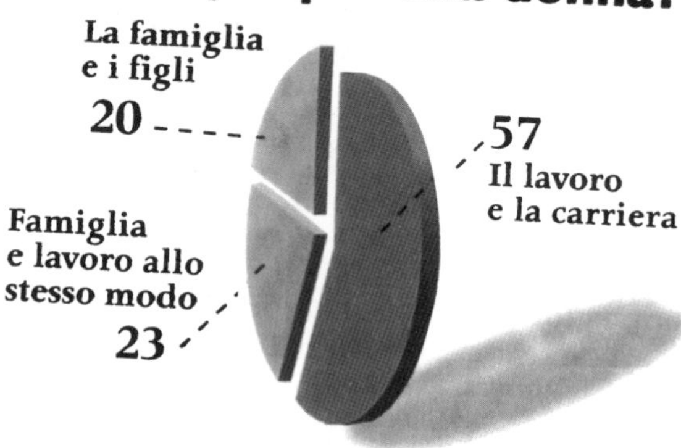

Il sogno di molte: conciliare famiglia e lavoro.

Per provare a rispondere abbiamo girato queste e altre domande a 400 donne con un grande sondaggio che *Anna* ha affidato alla società Abacus.

Anna - 28.9.1994

IL NOSTRO SONDAGGIO

I comuni varano un codice antimolestie. È giusto?

86% sì

MOLESTIE SESSUALI

FOTOGRAMMA

Il comune di Milano (come aveva fatto quello di Catania l'estate scorsa) si è dotato di un codice antimolestie sessuali che include, nelle proibizioni, anche le barzellette a doppio senso. Abbiamo chiesto a 100 donne fra i 18 e i 54 anni se sono d'accordo. Il sondaggio è stato effettuato dalla Swg di Trieste.

49,5%	sì	le donne vanno protette
36,5	sì	purché riguardi anche gli uomini
7,1	no	perché si sta esagerando
4,7	no	le donne devono difendersi da sole
2,4		non risponde

Donna Moderna - 16.XI.1995

DONNA 2000

EMANCIPATE, SÌ. MA UN PO' DEPRESSE...

Quando a metà degli anni Settanta era uscita quella Bibbia del femminismo che aveva come titolo "Noi e il nostro corpo" le donne, in Italia come negli Stati Uniti, erano ancora alla scoperta di se stesse, dei loro desideri e dei loro diritti. Vent'anni dopo l'"Enciclopedia delle donne", anche questa volta scritta negli Stati Uniti, anche questa volta tradotta in Italia da Feltrinelli, dà un segnale anche troppo preciso sui tempi che stiamo vivendo.

Come sostiene dalle pagine dell'"Enciclopedia delle donne" una delle molte intervistate, «nella vita reale avere tutto significa fare tutto. E, credetemi, è sfibrante».

E così, dopo il mito della liberazione dei Settanta e quello della carriera degli Ottanta, ecco che nei turbolenti Novanta si cerca di mettere a fuoco l'altra faccia dell'emancipazione femminile. Che deve fare i conti con l'imperativo alla bellezza e all'efficienza e con la capacità di aver successo. Ma anche con l'affaticamento cronico e la depressione, con gli strani scherzi dell'invecchiamento e con il crollo del desiderio sessuale, quasi un pendant dell'impotenza maschile.

L'ULTIMA RIVOLUZIONE: SCEGLIERE DI STARE A CASA

Rinunciano al lavoro, ma odiano le faccende domestiche, vogliono godersi i figli e fanno grandi progetti. Per sé. Identikit di una categoria in ascesa.

NUOVE CASALINGHE

ANNAMARIA

36 anni, Pinerolo (To)

Per me restare a casa è stata una scelta dettata dalle circostanze, ma che si è rivelata senz'altro la più adatta al mio carattere. Perché ritengo fondamentale la possibilità di gestirmi il tempo, anche se non è tutto facile. Detesto fare le faccende domestiche, per esempio, e sono una pessima organizzatrice. La mia storia di "casalinga" è iniziata nove anni fa, quando, incinta, mi sono trasferita a Pinerolo da Bologna per seguire mio marito Mario che aveva trovato lavoro in un quotidiano di Torino. Il primo anno è stato pesante: non conoscevo nessuno, Mario era spesso fuori per l'intera giornata, e la bimba, Lidia, m'impegnava molto. Della mia vita bolognese mi mancava tutto. Poi, lentamente, e soprattutto grazie alla bambina, mi sono ambientata. Quando finalmente Lidia ha iniziato a frequentare l'asilo, ho coltivato per un po' l'idea di riprendere l'università, ma sono rimasta di nuovo incinta. Nella mentalità comune il lavoro domestico è dato per scontato, la casalinga è un'idiota: guardata con sufficienza e un certo compatimento, perché "non produce", almeno apparentemente, e non guadagna. Ma io cerco di non farmi influenzare negativamente da questo sguardo esterno. E non rinuncio ai miei progetti. Conto soprattutto di avere più tempo, via via che le bambine crescono, per leggere e studiare. A 37 anni è inevitabile sentirsi fuori da certi circuiti, soprattutto professionali, però continuo a coltivare il progetto di iscrivermi all'università, e se non sarà possibile riprenderò a fare cose che mi interessano, che mi migliorino come persona. E tiro dritto, nella convinzione di essere apprezzata dalle persone che amo, ed è poi questo ciò che conta di più.

Era una prigione. Ora la casa è diventata una liberazione da troppe pretese

La donna d'oggi si realizza solo nella carriera?

5

PRO

1. La vita familiare non è più la fonte di tutte le sue gioie.
2. L'aumento dei divorzi prova che sta rinunciando alla famiglia per la carriera.
3. L'indipendenza economica la attira sempre più.
4. È conseguenza dei risultati sempre migliori nel campo dell'istruzione.
5. Ormai si è messa in competizione e non può più tirarsi indietro.
6. È disposta a non denunciare molestie sul lavoro pur di far carriera.
7. Sta assumendo atteggiamenti tipici dei maschi come l'aggressività e la competizione.
8. La donna al potere ha uno stile di leadership ancorato al modello maschile.
9. È condizionata dalla cultura del *politically correct* in cui non c'è più posto per la donna "angelo del focolare".
10. Non vuole perdere la possibilità di avere opportunità uguali in ogni settore.
11. Spera che con più donne nei posti chiave di potere si potrà finalmente parlare di uguaglianza.

CONTRO

1. Ci sono donne che rinunciano alla carriera per la famiglia.
2. Ci sono donne che rinunciano alla carriera per il volontariato o la religione.
3. Molte rivendicano solo gli stessi diritti dell'uomo.
4. La carriera non può sostituirsi alla gioia della maternità.
5. La carriera non può rendere felici se non si ha una vita sentimentale completa.
6. Lo stress della carriera provoca troppa stanchezza e depressione.
7. Prima la casa era una prigione, ora per molte donne è una liberazione dallo stress del lavoro.
8. Molte donne decidono di rimanere a casa per allevare i figli e non per essere casalinghe.
9. Per le donne non lavoratrici non si può più parlare di "casalingato" vero e proprio.
10. Il lavoro toglie tempo dalla cura della propria forma e bellezza.
11. Mettersi in carriera vuol dire rinunciare alla femminilità e alla dolcezza.
12. Il lavoro rende le donne aggressive per autodifesa dai soprusi e pregiudizi.
13. Per inserirsi nel mondo del lavoro la donna spesso deve subire umiliazioni e molestie sessuali.
14. La carriera è spesso causa di fallimenti matrimoniali: non ne vale la pena!

Nei luoghi pubblici va proibito il fumo?

I risultati di una ricerca dell'Istat: sono sedici milioni gli italiani che subiscono il tabacco

Fumatori passivi in maggioranza

ROMA — Sono 16 milioni i «forzati della sigaretta». L'Istat lancia l'allarme per il fumo passivo. Soprattutto i bambini subiscono i danni del vizio di uno o di entrambi i genitori. I tabagisti italiani sono comunque in diminuzione: dai 14 milioni dell'83 ai 12 attuali. Il fumo piace meno, o fa più paura, anche alle donne che negli anni Ottanta avevano cominciato a fumare in massa ma che da un po' tendono a smettere. In media, il consumo giornaliero degli italiani è di 14 sigarette. Gli uomini fumano di più al Sud, tra le donne le più accanite sono le laureate.

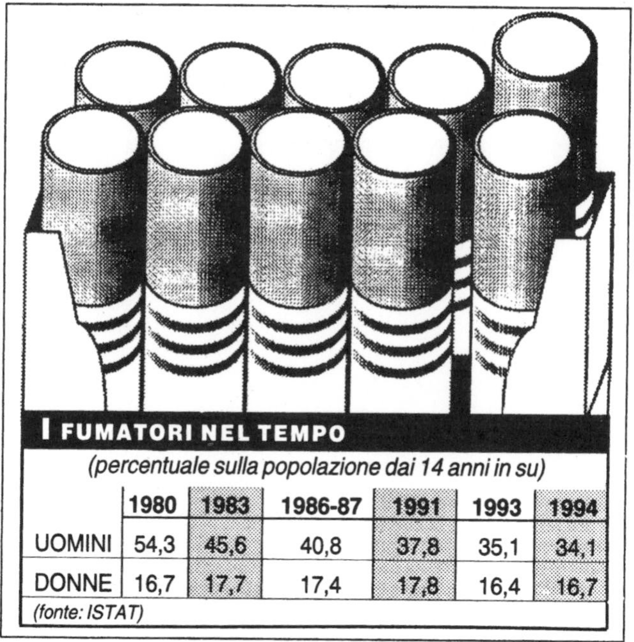

I FUMATORI NEL TEMPO

(percentuale sulla popolazione dai 14 anni in su)

	1980	1983	1986-87	1991	1993	1994
UOMINI	54,3	45,6	40,8	37,8	35,1	34,1
DONNE	16,7	17,7	17,4	17,8	16,4	16,7

(fonte: ISTAT)

La Repubblica 29.11.1995

EPPURE C'È CHI FUMA ANCORA

Nei Paesi della CEE, a causa del fumo si verificano, in un solo anno, 230.000 morti per cancro, 143.000 morti per malattie cardiache ischemiche, 26.000 morti per bronchiti, enfisema e asma. Nonostante ciò, continuano a fumare, nella CEE, il 45% dei danesi, il 43% dei greci, il 42% degli olandesi, il 40% degli spagnoli, il 36% dei belgi e dei francesi, il 35% di inglesi e irlandesi, il 34% dei tedeschi e (veramente beati gli ultimi!) il 32% degli italiani. In compenso il nostro Paese detiene il primato europeo dei medici che fumano: oltre il 40%. Particolarmente rischiosa per l'insorgenza del cancro del polmone è l'associazione tra il fumo del tabacco ed altri gas nocivi. Ad esempio, un bambino di 6 anni che respira nello smog del centro di Milano è come se fumasse un pacchetto di sigarette al giorno.

Habitat - Mensile di gestione faunistica - Giugno, 1993

on. Alessandro Meluzzi, psichiatra e deputato di Forza Italia.

MELUZZI **«Non fumo, ma questa è una vera persecuzione»**

– Onorevole, come mai si schiera dalla parte dei fumatori?
«Non sono un fumatore, però voglio dire basta a questa persecuzione. Ho la tolleranza che si deve avere verso i tossicodipendenti di grado lieve. Il fumo è la scansione e la grammatica delle loro mutevoli emozioni, la punteggiatura dei loro umori. Quando non ci sono sigarette va in crisi un rito della propria vita. Insomma, c'è di peggio».
– Detto così sembra quasi una poesia...
«Bisogna avere pietà e comprensione per i deboli, come psichiatra ho perfino una punta di tenerezza».
– Mi dica almeno tre motivi per i quali un fumatore dovrebbe essere difeso...
«Perché è un escluso, un dipendente, uno psico-confuso».
– Solo per questo?
«No, certo; c'è anche una ragione di civiltà: i fumatori vanno difesi anche perché sono una razza in via di estinzione, l'importante è che non danneggino gli altri. Ma, insomma, dal consigliare i fumatori a tutelare sé stessi e gli altri, a farne una categoria di criminali o quasi, ne passa...

di L. Scalettari - G. Nardocci, Famiglia Cristiana 12.4.1995

Lo dicono i pediatri

Figli più bassi se le mamme fumano

ROMA — I figli delle donne che fumano sono più bassi rispetto agli altri. Lo afferma uno studio presentato durante i lavori della Settimana Pediatrica. Lo studio, ha spiegato il professor Giorgio Rondini, ha preso in considerazione lo sviluppo di 75 bambini che avevano avuto una crescita intrauterina stentata e si è basato sul confronto tra i bambini nati da madre fumatrice e quelli nati da madre non fumatrice. Tre i parametri presi in considerazione: altezza, peso e circonferenza cranica. I figli delle fumatrici a 7 anni avevano un deficit di peso (–15%) maggiore di quello dei figli delle non fumatrici (–8%). Ad essere compromessa è però soprattutto l' altezza: i nati da fumatrici hanno un deficit di statura del 15% rispetto al 4% di quelli nati da donne che non fumano.

La Repubblica 29.9.1995

"Le sigarette mi aiutano a vivere" dice il poeta.
"Ma le donne no" ribatte il noto stilista
e Pannella fuma senza filtro pure durante il digiuno.

FUMO TI ODIO ANZI TI AMO

Chi può dire di non aver mai pronunciato la fatidica frase "domani smetto"? Almeno il 41% dei fumatori tuttora attivi. Cioè otto milioni di baionette, pari al 60% di tutti i consumatori di sigarette. Certo non mancano gli "irriducibili" che, sprezzanti del pericolo, a smettere non ci pensano per nulla. Valga per tutti la testimonianza del poeta **EDOARDO SANGUINETI**: "Le sigarette mi aiutano a vivere, provo per loro un gusto matto, in senso fisico e in senso letterale. Smettere per me è un desiderio, ma un desiderio utopico, in fondo non ci ho mai provato. Quanto fumo? In continuazione. Smetto solo quando dormo".
In proposito taglia corto **FULCO PRATESI**, ex presidente del Wwf e neodeputato Verde: "Suicidatevi se volete, ma lontano da noi".
Un pasdaràn dell'antifumo è lo scrittore **GUIDO CERONETTI** ("non fumatore intollerante", dice di sé), il quale considera le sigarette "roba da malavita". "Il fumo viene dal mondo delle tenebre" aveva dichiarato Ceronetti nel corso di un riuscitissimo e celebre faccia-a faccia sul "grande vizio" con l'irriducibil **MARIO SOLDATI** che dichiarava senza mezzi termini: "Il mio toscano è la vita". Lo stilista **VALENTINO** si limita invece ad ammonire le donne col vizio, specie italiane, le quali "fumano in modo troppo vistoso, che non può non disturbare". Insomma solo una questione di stile.

La Nuova Ecologia - Giugno 1992

Nei luoghi pubblici va proibito il fumo?

6

PRO

1. C'è già abbastanza inquinamento. Perché aggiungere anche il fumo?
2. Il fumo passivo è dannoso quanto quello attivo.
3. "Suicidatevi se volete, ma lontano da noi!"
4. La pubblicità delle sigarette va proibita in tutto il mondo.
5. Bisogna informare la gente sui danni fisici che può provocare: malattie cardiache, tumori, enfisema, asma e anche impotenza sessuale.
6. Può creare danni al feto di una gestante che fuma.
7. Il tabagismo è una dipendenza paragonabile a quella dovuta a alcol o droga.
8. Crea tensione nervosa.
9. Chi fuma è vittima di modelli presentati dai mass media.
10. È spesso associato all'uso di alcol o altre sostanze tossiche.
11. I giovani fumano solo per sentirsi adulti.
12. I governi sono responsabili della morte di tante persone, dovrebbero investire in campagne anti-fumo.
13. Le donne fumatrici perdono classe e fascino.
14. Produce cattivo odore in spazi comuni.
15. Fumare in luoghi pubblici è un gesto di maleducazione e mancanza di rispetto per il prossimo.
16. Il personale del servizio sanitario dovrebbe dare il buon esempio: è scandaloso che nel nostro paese molti medici ed infermieri fumino!

CONTRO

1. Si criminalizzano i fumatori per distrarre l'opinione pubblica da altri problemi.
2. Il proibizionismo è antidemocratico e persecutorio.
3. Ognuno ha il diritto di gestirsi la propria vita.
4. Non si può proibire il fumo dopo tanti secoli, fa parte della nostra tradizione culturale.
5. Bisogna dotare i locali pubblici di aspiratori efficienti.
6. Meglio godersi la vita senza pensare troppo al futuro.
7. Tanto, alla fine, si deve pur morire in ogni modo.
8. La sigaretta è una grande compagnia.
9. Il piacere del tabacco è uno dei più grandi della vita.
10. Aiuta a pensare e a riflettere.
11. Rilassa psicologicamente.
12. Molti geni e intellettuali erano grandi fumatori.
13. I fumo non fa più male dello smog e delle sostanze chimiche presenti nel cibo.
14. Le sigarette portano molti introiti fiscali allo Stato.
15. L'industria del tabacco dà impiego a molti lavoratori.

È ammissibile il tradimento all'interno della coppia?

Il tradimento, che piacere

Per scoprire un'emozione diversa, più intensa. E abbandonarsi completamente all'eros. Una sfida, quasi un gioco. Storie di donne che incontrano un "altro" e vivono la trasgressione senza riserve. E senza sensi di colpa.

7

Monogame, refrattarie a separare il sesso dai sentimenti e soprattutto incapaci di vivere la trasgressione senza lasciarsi schiacciare dai sensi di colpa: fino a qualche anno fa per descrivere "le donne e l'amore" il cliché era questo. Un cliché, appunto: approssimativo, parziale e, per gli uomini, rassicurante. Ma via via smentito dai fatti. Numerosi indagini – l'ultima è quella dell'Asper, del marzo scorso – tracciano infatti l'identikit di una popolazione femminile che non solo ammette di avere avuto delle storie di solo sesso, ma si spinge anche ad affermare che la coppia ideale è "quella che permette storie parallele alla ufficiale". E l'amore, la relazione consolidata come ne esce? Rafforzata, a patto però che il tradimento abbia una connotazione fortemente erotica e al contrario uno scarso coinvolgimento sentimentale. È quanto afferma la sociologa Carol Smart, che proprio sul tema ha presentato uno studio al recente congresso londinese del Centro di ricerche sul matrimonio. Ed è quanto in fondo pensano anche le nostre intervistate: donne intraprendenti, curiose, vitali. Libere, anche di tradire il proprio compagno assecondando la semplice legge del desiderio.

Marie Claire - Luglio 1995

Tresche discrete, siamo inglesi

Un'agenzia londinese per adulteri

"Già impegnato? Eppure senti il bisogno di un amico/a...?". Esordisce così l'annuncio pubblicitario di Additions, un'agenzia inglese veramente particolare: è la prima al mondo specializzata in adulterio. Infatti, al contrario delle tradizionali agenzie per la ricerca dell'anima gemella, gli incontri organizzati attraverso la Additions non sono a scopo matrimonio ma, come dice il nome, per un'"aggiunta" al matrimonio. Per trovare l'amante ideale basta mandare un'inserzione all'agenzia - costo 30 sterline per gli uomini e la metà per le donne - che si preoccuperà di spedire a tutti gli inserzionisti il bollettino bimestrale dove vengono pubblicati gli annunci. Sfogliando il bollettino ce n'è veramente per tutti i gusti: dagli annunci più esplicitamente sessuali a quelli più romantici.

Un maledetto incontro

Sono una donna di 30 anni, legata da 5 a un mio coetaneo che mi adora e che adoro. Il nostro amore è fortissimo, non ci siamo mai traditi, ci sposeremo a dicembre. Ma ieri ho incontrato lui. Ha occhi grandi che inceneriscono, una voce che solo a sentirla si perde la pace per sempre e dita sottili; vagamente stanco, una corte rumorosa di donne l'assedia. È un Principe. Vanesio. Immortale. Un dio greco che ha rapito i miei sensi. 22 anni, un maledettissimo dio. Oggi sono stata con lui, gli ho dato il mio corpo, non il mio cuore. Non avrei potuto, è già di un altro. Senza soffrire gli ho detto addio. Volevo di nuovo la mai vita qui sulla terra, e inorridisco di come facilmente io l'abbia ricevuta. Senza traumi. Perché non mi sento in colpa?

MARGHERITA 66 - ROMA

Il VENERDÌ supplemento alla Repubblica del 13.10.1995

L'amore tradito

Un mio trasferimento da un settore all'altro dell'azienda mi ha fatto conoscere lei, dolce, suadente, riflessiva, bellissima. Sentii subito di amarla più di ogni altra cosa. Io ero sposato e padre di un figlio, lei sposata ma senza figli. Ognuno dava l'impressione di essere felice del proprio matrimonio, nessuno dei due ha avuto il coraggio di parlarne all'altro. Io ho avuto un altro figlio, lei la prima. Al suo rientro dalla maternità scoppia oltre l'amore, la passione. Nascono i rimorsi. Nessuno dei due vuole abbandonare la famiglia, anche se nessuno dei due si sente più legato al partner ufficiale. Io vorrei continuare, lei, per paura di perdere la famiglia, vuole troncare. Io l'ho sempre aspettata, lei è sempre tornata. Perché l'amore che ci lega è superiore ad ogni altra cosa, anche ai nostri figli. Lei ha sempre sofferto, anche col marito e per non turbare la serenità famigliare è disposta a soffrire per tutta la vita

FABRIZIO
CATANIA

Il VENERDÌ supplemento alla Repubblica del 29.9.1995

Non sempre, solo in qualche caso

Claudio 21enne - *Come mai ogni volta che qualcuno, dopo aver tradito il proprio partner, le chiede un consiglio sull'opportunità di rivelarglielo, lei risponde di «tacere per non turbare l'armonia della coppia»? Ma dov'è questa fantomatica armonia se si è giunti al tradimento? E come si può vivere "in armonia" con la persona amata sapendo di averla tradita e ulteriormente ingannata nascondendole la verità? Forse che la menzogna non è essa stessa tradimento? E non si tradisce di nuovo ogni volta che, con mille sotterfugi, si illude qualcuno circa la nostra fedeltà? E se tacendo, come lei suggerisce, si può ottenere ugualmente il perdono divino, vuol dire che Dio regge il gioco degli adulteri e dei bugiardi?*

■ Non "ogni volta". Al contrario, io sono normalmente per la totale sincerità tra coniugi, anche quando il costo è alto. Ma nel caso specifico, m'era parso di capire che si trattasse di qualcosa di unico, lontano nel tempo; qualcosa di grave, certo, ma che riaffiorava, come un turbamento ricorrente, in un clima coniugale del tutto sereno. La moglie era perfettamente consapevole dell'errore commesso, e il silenzio che suggerivo non era una forma di assoluzione. Del resto, nel conto della fedeltà e della sincerità, come valori assoluti per la buona riuscita di un matrimonio, non si può negare uno spazio alla debolezza e quindi alla comprensione e al perdono; sarebbe disumano. E Dio non si fa ingannare da nessuno, ma tiene conto di tutto.

di L.Z., Famiglia Cristiana 5.4.1995

7

È ammissibile il tradimento all'interno della coppia?

7

PRO

1. Non si può rinunciare a esperienze che possono rendere felici.
2. La noia della coppia porta inevitabilmente al tradimento.
3. Dopo la trasgressione si possono provare nuove emozioni con il/la partner ufficiale.
4. Tutti hanno diritto di avere i propri spazi di libertà.
5. La coppia ideale è quella che permette di avere storie parallele a quella ufficiale.
6. La coppia ufficiale ne esce rafforzata se il tradimento è solo fisico e non sentimentale.
7. Bisogna assecondare la legge del desiderio. Si vive solo una volta!
8. Il gioco della seduzione è irresistibile. Si provano emozioni ormai morte con il partner ufficiale.
9. Non si fa male all'altro/a se non si confessa nulla.
10. Per una donna la fedeltà è imposta dalla società come abnegazione e sacrificio. Per le donne è un dovere mentre con gli uomini si è più tolleranti.
11. L'infedeltà può far crescere, maturare.
12. La fedeltà più importante è quella verso se stessi, i propri sogni e le proprie aspirazioni.
13. Con un/a partner differente si possono conoscere nuovi lati della propria personalità.
14. È giusto tradire per vendicarsi di un torto subìto.
15. L'intensità di un breve rapporto segreto vale più di anni di monotonia coniugale con il/la partner.

CONTRO

1. Si comincia per vanità e poi non si può più tornare indietro.
2. L'emozione del "frutto proibito" fa fare follie.
3. Chi lo fa è vittima di modelli televisivi come le telenovelas.
4. Tradire la fiducia di qualcuno fa perdere la propria dignità.
5. Se si ama qualcuno non si può avere desiderio per altri.
6. Entrare nella spirale della menzogna non ha più fine.
7. Il desiderio sessuale è irrazionale ma può essere controllato.
8. Una leggerezza può creare danni irreversibili.
9. Ci si rovina la reputazione.
10. Bisogna essere in grado di fare delle scelte e porsi dei limiti.
11. È sintomo di immaturità.
12. Non si può volere tutto. Bisogna accontentarsi.
13. Se ci sono dei figli bisogna pensare al loro futuro e alle conseguenze provocate.
14. La perfezione non esiste in nessun rapporto.
15. Le cottarelle passano, le ferite e i sensi di colpa no.

Le buone maniere fanno parte di costumi ormai sorpassati?

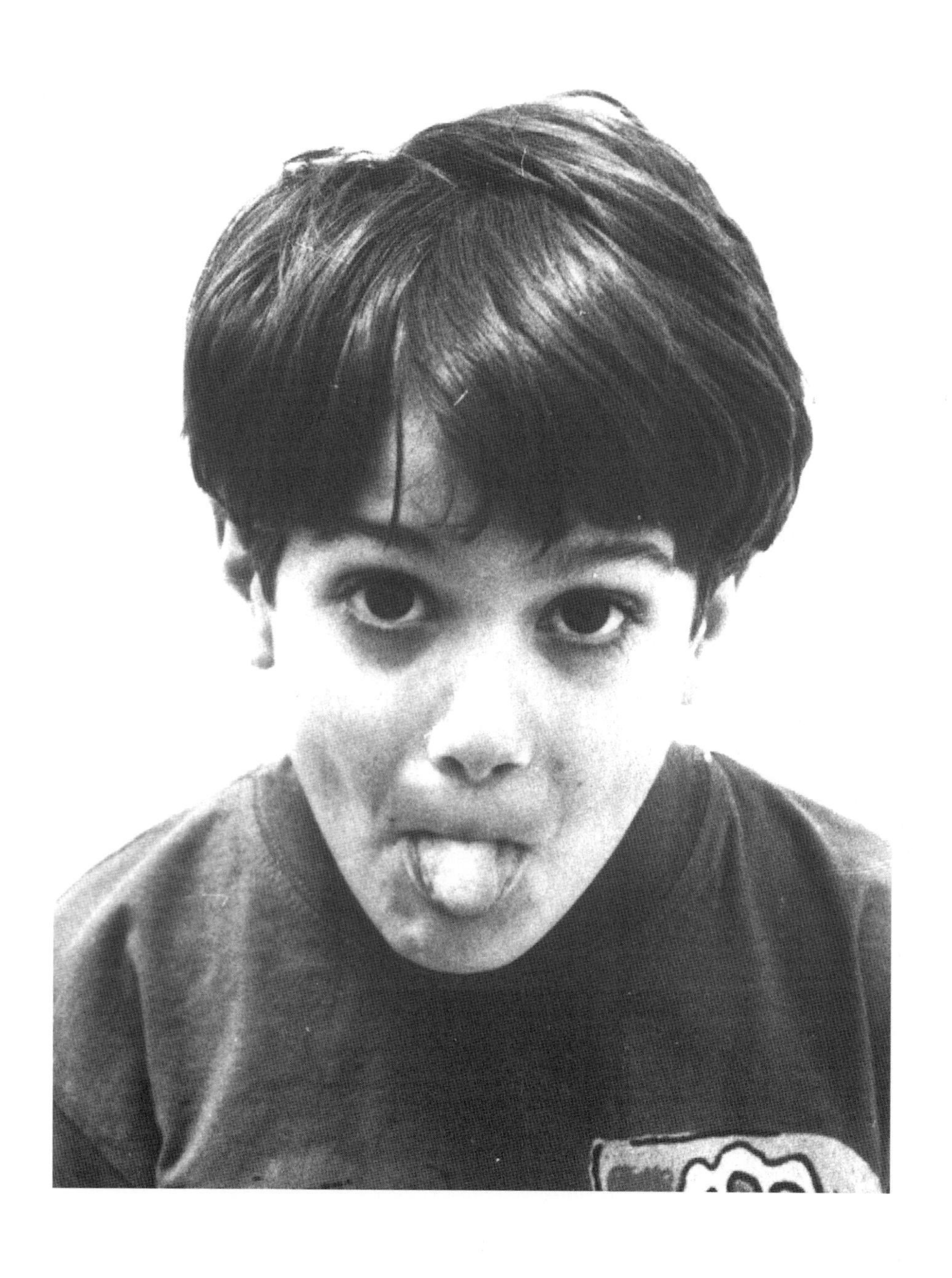

La buona educazione

Lietta Tornabuoni, giornalista. «Nella diffusa mancanza, in Italia, di buona educazione – ovvero di senso civico – la responsabilità delle classi dirigenti è grande. Sarebbe necessario il buon esempio di politici, amministratori pubblici, docenti, industriali, uomini e donne dello spettacolo, intellettuali, giornalisti. Costoro dovrebbero, per primi, mostrare buona educazione, cioè consapevolezza di vivere in una collettività e impegno a rispettarne le regole. Purtroppo i comportamenti delle élite hanno raggiunto, in questi anni, un tale grado di egoismo, aggressività e sgangheratezza da aver nuociuto quasi mortalmente alla società, che vi si è specchiata e adeguata. I cittadini si muovono come se esistessero solo le loro esigenze, dimenticando quelle degli altri. E il risultato, naturalmente, è un danno per tutti. Un esempio dalla cronaca recente? All'inizio di dicembre, colonne e colonne di automobili sono state ferme per ore sotto la neve tra Bologna e Firenze. E i soccorsi non potevano arrivare perché le macchine bloccavano le corsie di emergenza! Un episodio che rivela il livello di maleducazione civile degli italiani, totalmente disabituati a pensarsi in relazione ai concittadini. Fino, come si vede, all'autolesionismo.

Donna Moderna 10.1.1996

SCATENATE AL TELEFONO

Il turpiloquio trionfa al telefono. Secondo una ricerca condotta dall'Osservatorio linguistico e culturale dell'università La Sapienza di Roma, le parolacce si dicono con più frequenza e disinvoltura via cavo. «Il telefono favorisce l'intimità e la disinibizione» spiega Tullio De Mauro, linguista. «È quasi un lettino dello psicanalista: ci si lascia andare, si abbassano le censure. E anche le donne che normalmente usano un linguaggio pulito, protette dalla cornetta si permettono qualche imprecazione colorita». Comunque, sempre molto meno dei loro compagni.

Donna Moderna 10.1.1996

In autobus si fa così

Anche su tram, autobus e metropolitana le buone maniere sono indispensabili. Qualche esempio? Se alcune persone parlano tra loro, non ci si avvicina per sentire i discorsi altrui. Non si legge il quotidiano spalancandolo sui visi dei vicini, ma neanche si sbirciano quelli accanto a voi. Non si spingono, non si urtano, né si strattonano le persone per scendere alla fermata consueta. Ma si evita anche di appostarsi davanti all'uscita quando la fermata è ancora lontana. Vietato, infine, imprecare contro l'autista, il traffico e l'affollamento del mezzo. *M.C.d.M.*

Donna Oggi 19.10.1995

LA PAROLACCIA È DI DESTRA O DI SINISTRA?

È vero che c'è molta indulgenza se il turpiloquio è utilizzato da comici progressisti, mentre si grida alla volgarità negli altri casi? Perché van bene espressi nel Laureato *e non in* Champagne*? Ne discutono due autorevoli critici televisivi, Aldo Grasso e Giorgio Vecchiato.*

GRASSO **«La politica non c'entra, quel che conta è il contesto».**

Credere che le parolacce possano essere redente perché sono di destra o di sinistra è una di quelle improntitudini del pensiero da cui è meglio stare alla larga. Destra e sinistra sono modeste categorie storiche; come categorie dell'intelletto sono ferrivecchi inutilizzabili. In quanto categorie della comicità producono inevitabilmente un effetto di comicità involontaria.

Detto questo, il problema resta: ci sono programmi comici in cui frammenti di turpiloquio sanno offrirsi al riscatto espressivo ed altri invece in cui la spazzatura linguistica rimane tale? È possibile che una parola pronunciata in uno spettacolo di Paolo Rossi venga percepita come una sorta di punteggiatura "forte" del discorso, mentre la medesima parola, in bocca a Massimo Boldi in un film dei fratelli Vanzina, dia l'impressione di sporcizia?

La scurrilità nel film SPQR dei fratelli Vanzina assomiglia molto a quelle spezie che i ristoranti mettono in abbondanza in certe pietanze per nascondere magagne di fondo. Non destra o sinistra ma: Rossi fa spettacoli degni, i Vanzina indegni.

VECCHIATO **«Non confondiamo Paolo Rossi con Cesare Zavattini».**

S'ode a destra una parolaccia, ed è un volgare segno di incultura. Su questo siamo tutti d'accordo. Se invece il suono viene da sinistra, si impone l'analisi dotta. A sinistra si è studiato e si sa, per esempio, che la scatologia non è l'arte di confezionare pacchi bensì la trattazione di tematiche che riguardano gli escrementi. Ne derivano alcune conseguenze. Se ad emettere pernacchie è Giorgio Bracardi, che lavora per Canale 5, nessun dubbio sulla matrice plebea. Però fu il compianto Enrico Maria Salerno a interrompere un dibattito reazionario con le mani a coppa davanti alle labbra. In quell'epoca Salerno impersonava al cinema il giornalista di idee avanzate, con una copia dell'*Unità* che spuntava dalla tasca. Il suo era dileggio colto, nulla di triviale.

di Grasso - Vecchiato, Famiglia Cristiana 1.2.1995

Gomitate, insulti, liti in campo: dopo la domenica di tensione, appello di Campana, capo del sindacato

"Calciatori, fate i buoni"

MILANO — Interviene Sergio Campana, presidente dell'Assocalciatori, sulle intemperanze dei giocatori, sui gestacci, sugli insulti, una gamma di comportamenti che non è certo mancata in questi primi turni di campionato. Campana concede ai giocatori di essere sotto la costante pressione del pubblico e dei media, ma poi però critica con forza tutte le manifestazioni di intolleranza.

Quello del capo del sindacato è un appello, lanciato dalla sede di Vicenza dell'organizzazione. È un appello che dietro il tono compassato, che è un tratto anche personale di Campana, nasconde una preoccupazione vera: che dalle gomitate dei nazionali (vedi Casiraghi), dai gestacci al pubblico su campi dove di solito vige la correttezza e la pacatezza, possano venir fuori incidenti molto gravi, per opera di chi da sempre predica odio e violenza negli stadi.

Sergio Campana

La Repubblica 30.9.1995

8

Le buone maniere fanno parte di costumi ormai sorpassati?

PRO

1. Fare il *gentleman* con una signora vuol dire considerarla inferiore.
2. Il bon ton è il simbolo di una società ipocrita che si basa sulla falsità.
3. Un eccesso di bon ton crea molte moine ridicole.
4. Nella società contemporanea in cui la violenza è all'ordine del giorno, usare il bon ton sarebbe fuori luogo.
5. Fare la fila per ogni circostanza non rientra nella nostra tradizione culturale.
6. Portare il telefonino cellulare in ogni luogo può essere fastidioso ma è ormai indispensabile.
7. Come si può richiedere il bon ton alla gente comune quando i politici si offendono volgarmente ed arrivano persino ad azzuffarsi in Parlamento?
8. I mass media diffondono una cultura in cui trionfa la volgarità, la maleducazione e il turpiloquio. Non c'è da stupirsi che sia questo il modello seguito da gran parte della gente.
9. Il mondo sportivo, e in particolare il popolarissimo calcio, non fanno che alimentare la violenza dei tifosi con gestacci e parolacce in campo.
10. Porre delle sanzioni contro i "maleducati" farebbe solo aumentare il fascino per il proibito e sarebbe controproducente.

8

CONTRO

1. Le buone maniere sono un sintomo di civiltà e quindi non dovrebbero passare mai di moda.
2. La mancanza di rispetto verso il prossimo è alla base del degrado culturale della nostra società.
3. Nei paesi in cui la democrazia è ancora giovane (come l'Italia), la buona educazione è ancora in fase di apprendimento.
4. Lo stress a cui siamo sottoposti quotidianamente non giustifica comportamenti volgari e smisurati.
5. È meglio usare espressioni convenzionali (come "grazie", "per favore" ecc.) che possono sembrare ipocrite, piuttosto che non usarle affatto ed essere sgarbati.
6. Cedere il posto ad una signora vuol dire rispettare le donne senza considerarle subalterne.
7. Anche se i politici, la TV e il cinema danno modelli di cattiva educazione, ciò non vuol dire che si debbano seguire.
8. Il consumismo e il permissivismo hanno scalzato i valori della cortesia, solidarietà e della tolleranza.
9. Le persone che strombazzano il clacson dalle loro auto o che usano il telefono cellulare in tutti i luoghi lo fanno solo per mostrare i loro status symbol.
10. Nella nostra società plurietnica la maleducazione cresce di pari passo con l'intolleranza e la mancanza di rispetto reciproco.
11. Se la scuola e la famiglia educassero al rispetto per l'ambiente, le strade e i parchi sarebbero più puliti.
12. Porre delle sanzioni potrebbe incoraggiare il rispetto civile.

Meglio single che mal accompagnati?

Aumentano in tutto il paese. Ma è una tendenza mondiale. Negli Stati Uniti sono 23 milioni, 8 in Francia, 4 in Italia. Corteggiati dalla pubblicità perché consumano, leggono, telefonano e viaggiano di più. Curano moltissimo il corpo e la casa. Inventano nuove forme di rapporti sessuali e affettivi. Si cercano attraverso le inserzioni sui giornali... Insomma: un esercito in cammino. Ecco il futuro alle porte

9

Lettere *a Gioia*

SINGLE PENTITA

Ho 47 anni, non mi sono mai sposata e non ho figli. Sono sempre stata fiera della mia indipendenza e in qualche modo mi sono sentita avvantaggiata rispetto alle amiche e colleghe costrette a programmare la propria vita pubblica e privata tenendo conto delle esigenze della famiglia. E' stato bello viaggiare per il mondo, raggiungere località prestigiose e alla moda... Ma tutto questo, ormai, fa parte del passato. Invecchiando, sopporto sempre meno la mia libertà, che si traduce inevitabilmente in una grande solitudine. Inoltre, non mi va più di viaggiare da sola, perché comincio a sentire la fatica di dover fare tutto da me, senza nessuno con cui dividere il piacere di un itinerario nuovo. Ho cercato di reagire accettando di tanto in tanto qualche invito a cena, ma nonostante l'evoluzione dei costumi mi sono sentita a disagio in mezzo a un mare di coppie. Insomma, sono una single pentita... in cerca di un partner. Ma non so dove trovarlo.

Gianna, Biella

Che cosa ne direbbe delle agenzie matrimoniali? Le cose sono cambiate rispetto ai tempi in cui i loro frequentatori erano definiti "cuori solitari" e si davano appuntamento su una panchina del parco, lei con una rosa rossa in mano e lui con una copia di un certo giornale... Troverà tutte le informazioni al riguardo nel servizio di pag. 46. Con le testimonianze di chi, vinto l'imbarazzo iniziale, è riuscito a trovare il partner su misura.

Gioia 2.9.1995

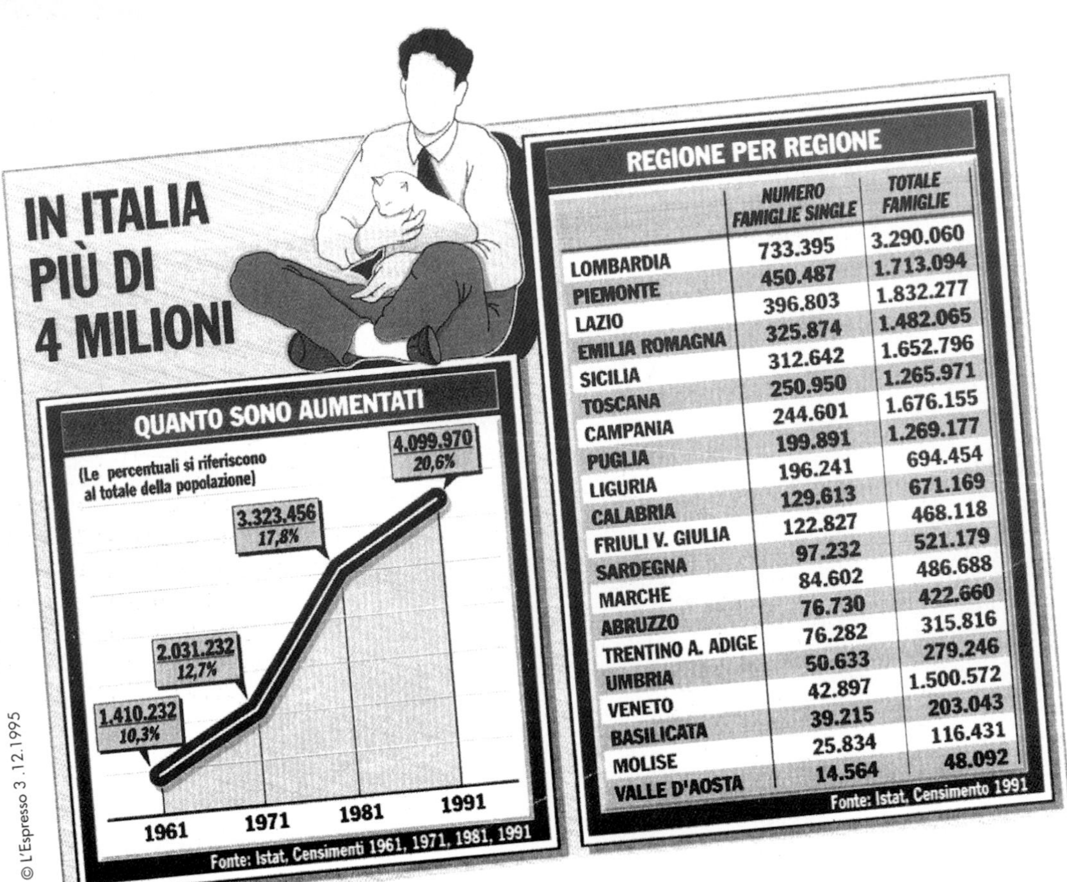

REGIONE PER REGIONE

	NUMERO FAMIGLIE SINGLE	TOTALE FAMIGLIE
LOMBARDIA	733.395	3.290.060
PIEMONTE	450.487	1.713.094
LAZIO	396.803	1.832.277
EMILIA ROMAGNA	325.874	1.482.065
SICILIA	312.642	1.652.796
TOSCANA	250.950	1.265.971
CAMPANIA	244.601	1.676.155
PUGLIA	199.891	1.269.177
LIGURIA	196.241	694.454
CALABRIA	129.613	671.169
FRIULI V. GIULIA	122.827	468.118
SARDEGNA	97.232	521.179
MARCHE	84.602	486.688
ABRUZZO	76.730	422.660
TRENTINO A. ADIGE	76.282	315.816
UMBRIA	50.633	279.246
VENETO	42.897	1.500.572
BASILICATA	39.215	203.043
MOLISE	25.834	116.431
VALLE D'AOSTA	14.564	48.092

Fonte: Istat, Censimento 1991

Giampaolo Pioli

Com'è difficile vivere da soli

Dopo gli anni dell'orgoglio single

gli abitanti della Grande Mela

cercano un partner stabile

Un giornale e addio all'analista

Per anni «single» è stato un aggettivo nobile, da portare con orgoglio. Sinonimo di sfrenatezza, libertà, incoscienza, fantasia, gusto della vita. Il titolo valeva per uomini e donne. New York è sempre stata la capitale dell'«indipendent living». Feste tutte le sere, amori di una notte, passioni di mezzo pomeriggio, cene roventi, corteggiamenti al volo all'angolo dei supermercati, nelle librerie o nelle grandi lavanderie. Poi di nuovo «single», a casa propria, da soli, senza legami, pronti a ricominciare il giorno dopo. Persino l'urbanistica ha ceduto a questo trend. Interi grattacieli arrivavano ai 50 piani di soli monolocali. Nei negozi era raro trovare confezioni per famiglia: soltanto porzioni singole, dalla bistecca ai biscotti.
Adesso sta cambiando: i ragazzi delle università vivono in coppia nei campus e arrivano insieme alla laurea. C'è un forte ritorno alla monogamia, al bisogno di famiglia, di radici, di sicurezza. Le feste sono in calo e se i «singles» hanno più di 40 anni, vengono considerati sospetti, se sono al di sotto, viaggiano in controtendenza. Ma il dramma è per le donne. Sono troppe a Manhattan. Sproporzionate rispetto al numero degli uomini.
Senza dubbio per loro la «Grande mela» è diventata il posto più diffile per trovare un marito o un compagno stabile. Come reagiscono allora?

Col lavoro, con l'isteria, con l'analista, con la palestra e adesso anche con un giornale. Si chiama proprio «Singles», è diretto e pubblicato dalla giovane editrice Delia Passi e, al suo primo numero di ottobre, ha già creato un forte interesse.

La Nazione 13.10.1995

Primo "sì" a 40 anni

I perché di una scelta

Domanda: perché? Perché scegliere di pronunciare il primo «sì» a quarant'anni, abbandonando quella condizione di *single* che pareva ormai definitiva? Perché ufficializzare una convivenza che reggerebbe comunque, anche senza un contratto matrimoniale? Perché sacrificare l'autonomia totale a cui si era profondamente affezionati per condividere lo spazio vitale con l'altro? Risposta: per amore; per assicurarsi una stabilità affettiva; per formare una famiglia. E perché il matrimonio, nonostante tutti i cambiamenti di costume e di valori intervenuti negli ultimi decenni, resta pur sempre un rito simbolico cui è difficile rinunciare.

NIENTE PIÙ VERGOGNA

Per amore o per forza, per egoismo o per paura, per accidente o per scelta, per baldanza o per modestia, per narcisismo o per indolenza. Sono mille le ragioni per le quali, un giorno o l'altro, per poco tempo o per sempre, ci si ritrova a vivere da soli. Sono ragioni intrecciate tra loro, che sfuggono quasi sempre alla coscienza, che si ammantano di giustificazioni razionali, ma che concorrono, tutte insieme, a dar vita a una figura sociale caparbiamente in crescita: il single.

Le persone che vivono, o tornano a vivere, da sole, sono infatti sempre più numerose. Popolano le grandi città del Nord, ma spuntano e si affermano anche in paesotti e borghi. L'Istat le ha censite in un numero ormai impressionante: 4 milioni e 100 mila individui che costituiscono, ciascuno, una famiglia. Il dato, naturalmente, è impressionante solo per noi, popolo familista e mammone per eccellenza, che fa ancora una certa fatica a uniformarsi a comportamenti che il mondo occidentale si trova a praticare da decenni. In Francia, ad esempio, i single sono 8 milioni, negli Stati Uniti 23 milioni, mentre a New York, metropoli che dà in anteprima condotte destinate a diventare di massa, il 65 per cento delle famiglie è composto da un solo individuo.

9

Meglio single che mal accompagnati?

PRO

1. Non avere legami permette di condurre una vita sfrenata piena di emozioni.
2. Si possono avere tante avventure amorose.
3. Ci si può divertire senza limiti e vincoli coniugali.
4. La libertà e il gusto della vita non possono essere soffocati tra le mura domestiche.
5. Si può regolare la propria vita senza far compromessi per accontentare le esigenze di partner e figli.
6. È una condizione invidiata da chi ha perso la propria identità all'interno della coppia.
7. Le responsabilità familiari soffocano il proprio ego e la carriera.
8. Il matrimonio inabilita alla solitudine. Il single sa godersela pienamente.
9. Il single è considerato nemico della famiglia nell'ottica moralista.
10. Un/a single non è immorale. Sta bene con se stesso/a.
11. Nel rapporto di coppia si annullano la propria personalità e le proprie risorse.
12. Perché far sacrifici e rinunciare a ciò che ci rende felici?
13. Sposarsi solo per avere degli eredi: anche questa è una scelta egoistica.
14. Non è un caso che oggi le coppie sposate cercano di copiare i single richiedendo sempre più spazi privati all'interno del matrimonio.

CONTRO

1. La libertà totale si può tradurre in solitudine totale.
2. Con l'avanzare degli anni (e degli acciacchi) si sente sempre più la necessità di un/a partner.
3. Un uomo single di una certa età è uno "scapolone"; una donna, passati i 40-50 anni, rischia di essere etichettata come "zitella".
4. Negli anni '80 era di moda la vita da single, ora c'è un ritorno alla monogamia.
5. I single finiscono quasi sempre dallo psicanalista.
6. Il lavoro e la carriera non sono sufficienti a colmare il vuoto affettivo.
7. Nella coppia si può trovare il proprio equilibrio.
8. I single vanno contro la natura: rifiutano la vita e la procreazione.
9. Non volere eredi crea una carenza di cui, prima o poi, ci si pente.
10. Passare da un/a partner all'altro/a rende instabili e superficiali.
11. Dopo molti anni la solitudine può pesare: molti single cercano di sposarsi a 40-50 anni.
12. Chi ha difficoltà a trovare un/a partner può ricorrere agli annunci sui giornali o alle agenzie matrimoniali sempre più diffuse ed efficienti.

10

Gli ingaggi delle star dello sport e dello spettacolo sono eccessivi?

I numeri d'oro di Baggio

Quanto è costato al Milan	20 miliardi
Quanto costò alla Fiorentina	3 miliardi
Quanto costò alla Juve	16 miliardi (più Buso)
Il suo ultimo stipendio alla Juve	3 miliardi e 300 milioni lordi
Quanto guadagnerà nel Milan	circa 2 miliardi e mezzo netti a stagione

La Nazione 7.7.1995

MILANO — Ieri alle 11,35 il Milan ha depositato in Lega il contratto di **Baggio**. All'uscita, il vice presidente Galliani ha esibito il sorriso dei giorni migliori. Costo dell'operazione: 18,5 miliardi pagabili in due anni. Codino ha firmato un triennale per una cifra (presunta ma molto attendibile) di 2,4 miliardi puliti a stagione. Presentazione ufficiale al raduno, il 20 luglio. Debutto ufficiale di **Baggio** otto giorni più tardi nell'amichevole di Alessandria.

«Non ci hanno fatto lo sconto — ha precisato Galliani —, la somma pattuita rientra nell'accordo commerciale più ampio fra noi e la Juventus. **Baggio** arriva al Milan con cinque anni di ritardo, ma siamo convinti di aver fatto un grande affare. Gli sponsor reclamavano una stella e, non appena si è complicata la trattativa per **Casiraghi**, abbiamo deciso di buttarci su **Baggio**».

La Nazione 7.7.1995

Un libro sul grande Torino

Nei suoi anni di Napoli Diego Armando Maradona non è mai riuscito ad andare al cinema: la folla lo assediava, diventava addirittura una minaccia fisica, con strette pitonesche di amore. Nella Torino del dopoguerra, negli anni del Grande Torino cinque volte consecutive campione d'Italia di calcio, i giocatori celebri aprivano un bar e stavano alla cassa, mandavano avanti di persona un negozio di articoli sportivi, si frequentavano, passeggiavano in centro, magari quelli del Torino e della Juventus insieme.

Segnaliamo agli esperti di fisica questa idea chiara dell'anno-luce, di una distanza immensa e difficile da concepire: quei tempi confrontati ai tempi di adesso, con gli assi del calcio bunkerizzati in ville di periferia, di hinterland, sepolti in ville anonime, impossibilitati a vivere la città che pure è quella del loro lavoro.

Un libro in teoria dedicato a un'epopea sportiva, *Il romanzo del grande Torino*, diventa il libro delle memorie, delle rievocazioni, dei confronti. Diventa non solo un "come eravamo" dei calciatori celebri, di una città che si avviava in quegli anni al raddoppio della sua popolazione, ma addirittura un parametro d'ambiente, di comportamenti per la valutazione di cambiamenti sostanziali e generali.

I calciatori migliori d'Italia erano pagati due, tre, cinque, dieci volte (i campioni) gli operai specializzati. I contratti non esistevano, tutto scritto su un taccuino che il presidente granata Ferruccio Novo teneva sempre in tasca, lo mostrava come un gioiello di famiglia, per ogni giocatore una pagina.

di G.M. Maletto
Famiglia Cristiana 5.4.1995

INGAGGI A HOLLYWOOD/L'EFFETTO DEMI MOORE

Nuda valgo 20 miliardi

NELLA FINZIONE, OVVERO NEL film "Rivelazioni", l'attrice Demi Moore detta le regole del sesso a un frastornato Michael Douglas. Nella realtà, ovvero negli uffici degli Studios dove si firmano i contratti miliardari delle star, è ancora Demi Moore il boss che detta legge. Infatti, ha suscitato scalpore il contratto da 12 milioni e mezzo di dollari (oltre 20 miliardi di lire) che la Moore ha strappato alla Castle Rock Pictures per interpretare la parte di una spogliarellista in "Strip Tease", nuovo film del regista Andrew Bergman.

Insomma, il simbolo cinematografico della parità fra i sessi, diventa ora la paladina dell'eguaglianza dei cachet. Per Hollywood si tratta davvero di una svolta. Ma c'è dell'altro. L'effetto Moore ha spinto in su i compensi di tutte le attrici più quotate. A cominciare da Julia Roberts, balzata da 12 a 13 milioni di dollari per interpretare il seguito di "Pretty Woman". E via via le altre: Jodie Foster (da 7 a 8 milioni di dollari) e Meg Ryan (da 6 a 8 milioni di dollari); Sharon Stone (da 6 a 7 milioni di dollari) e Michelle Pfeiffer (anche lei da 6 a 7 milioni di dollari), solo per fare qualche nome in questa stratosferica hit parade dei compensi rivelata dal settimanale americano "Entertainment Weekly".

Qualcuno, spiritoso, si è chiesto il motivo di pagare tutti quei soldi alla sexy Demi per farla spogliare sul set, dal momento che la bella lo fa gratis per i settimanali alla moda. Qualcuno, più maligno, si è subito domandato se poi la Moore li vale davvero tutti quei soldi. La risposta, naturalmente, è stata affidata ai numeri: ebbene, a leggere le cifre degli incassi mondiali degli ultimi suoi film, si scopre che la bella Demi è una sorta di re Mida dello schermo. Si va dai 180 milioni di dollari portati finora a casa da "Rivelazioni" ai 146 milioni di "A few good men"; dai 258 milioni (si parla sempre di dollari) di "Proposta indecente" ai 545 milioni di "Ghost". Conclusione: Demi Moore vale tutti i soldi che intasca. Tanto che il presidente della Castle Rock Pictures, Martin Shafer, si sbilancia fino a definire la Moore «la più grande attrice del mondo».

IL BORSINO DELLE STELLE. Ecco, in milioni di dollari, la hit parade degli ingaggi di Hollywood.

Il borsino delle modelle

Quanto è pagata Claudia
Claudia Schiffer prende un cachet di 15 mila dollari a sfilata, più di 24 milioni di lire.

Le trattenute
Una parte delle somme ricevute dai clienti (stilisti, giornali, fotografi, pubblicitari) va alle agenzie che rappresentano le singole modelle. La percentuale varia tra il 20 ed il 50 per cento.

Sfilate, pubblicità, foto
Ci sono quattro generi di lavori per una modella: le sfilate di moda, la pubblicità per singoli marchi (da pubblicare sulla stampa), gli spot televisivi e i servizi fotografici per i giornali.

15 milioni per un catalogo
Anche i cataloghi ordinano servizi fotografici. In Germania, per esempio, c'è molto lavoro in questo campo. Una ragazza può guadagnare così fino a 15 milioni di lire, anche se solo le più famose arrivano a simili cifre.

Le sette muse
Se una delle divine sette muse delle sfilate (non sono di più le vere top) riceve un cachet che si aggira tra i 7 e 10 mila dollari (tra i 10 e i 15 milioni) a sfilata, le altre si attestano tra i 3 e i 4 mila dollari (tra i 4 milioni e mezzo e i 6 circa).

Superstar e professioniste
C'è una terza categoria, quella costituita da giovani molto belle e professionalmente altrettanto valide, benché non siano delle vere star. Costano molto meno (2-3 milioni a sfilata). Peccato che i più, anche se non se le possono permettere, vogliano soprattutto le superstar.

Gli ingaggi delle star dello spettacolo e dello sport sono eccessivi?

PRO

1. Il loro lavoro non è così impegnativo. Non giustifica questi facili guadagni.
2. I mass media sono colpevoli di aver "mitizzato" questi personaggi.
3. Occupano troppo spazio su giornali e TV. Distraggono da questioni più serie.
4. È immorale l'avidità di ingaggi sempre più alti.
5. Creano dei personaggi artificiali troppo distanti dal loro pubblico.
6. Molte star non hanno neppure talento.
7. Non avendo altri talenti, queste star farebbero lo stesso lavoro anche per ingaggi più bassi.
8. Propongono dei modelli negativi ed irraggiungibili per i giovani.
9. Creano l'illusione che sia facile far soldi a palate.
10. Non forniscono un servizio vitale alla società (rispetto a per es. medici e scienziati).
11. Si potrebbero usare questi soldi per cause più nobili.
12. Il loro stile di vita è uno schiaffo alla povertà.
13. Una volta un calciatore era pagato al massimo dieci volte un operaio medio, oggi ha redditi da industriale.
14. Le loro personalità sono create a tavolino dagli operatori del loro settore.
15. Creano atteggiamenti isterici ed irrazionali tra i loro fan o tifosi.

10

CONTRO

1. Hanno carriere che non danno sicurezze.
2. Potrebbero "passare di moda" da un momento all'altro.
3. Basta un piccolo incidente per rovinargli la carriera.
4. Devono concentrare i loro guadagni in pochi anni di lavoro.
5. Sono un ottimo investimento per chi li ingaggia.
6. Un atleta che fa vincere un campionato non ha prezzo.
7. Se un attore rende un film indimenticabile, è giusto che sia ben pagato.
8. Le star della moda e dello spettacolo sono professionisti che lavorano sodo.
9. La gente vuole che i divi siano mitici con uno stile di vita da VIP.
10. Devono sostenere grosse spese per mantenere la loro privacy.
11. Devono mantenere un entourage di agenti, segretarie, guardie del corpo ecc.
12. Il pubblico ha bisogno dello sport di alto livello e degli spettacoli per dimenticare i propri problemi.
13. Il pubblico ha bisogno di sognare identificandosi con loro.
14. Ville, vestiti costosi, automobili, gioielli. Sono spese inevitabili.
15. Tengono in vita settori che danno lavoro a molte persone.
16. Gli operatori del settore sono disposti a spendere perché sanno che saranno ripagati in tempi brevi.
17. Hanno impatto sul pubblico: possono essere usati come portavoce per campagne sociali e morali.
18. Spesso raccolgono fondi per cause sociali.

Il femminismo è un movimento che non ha più ragione di esistere?

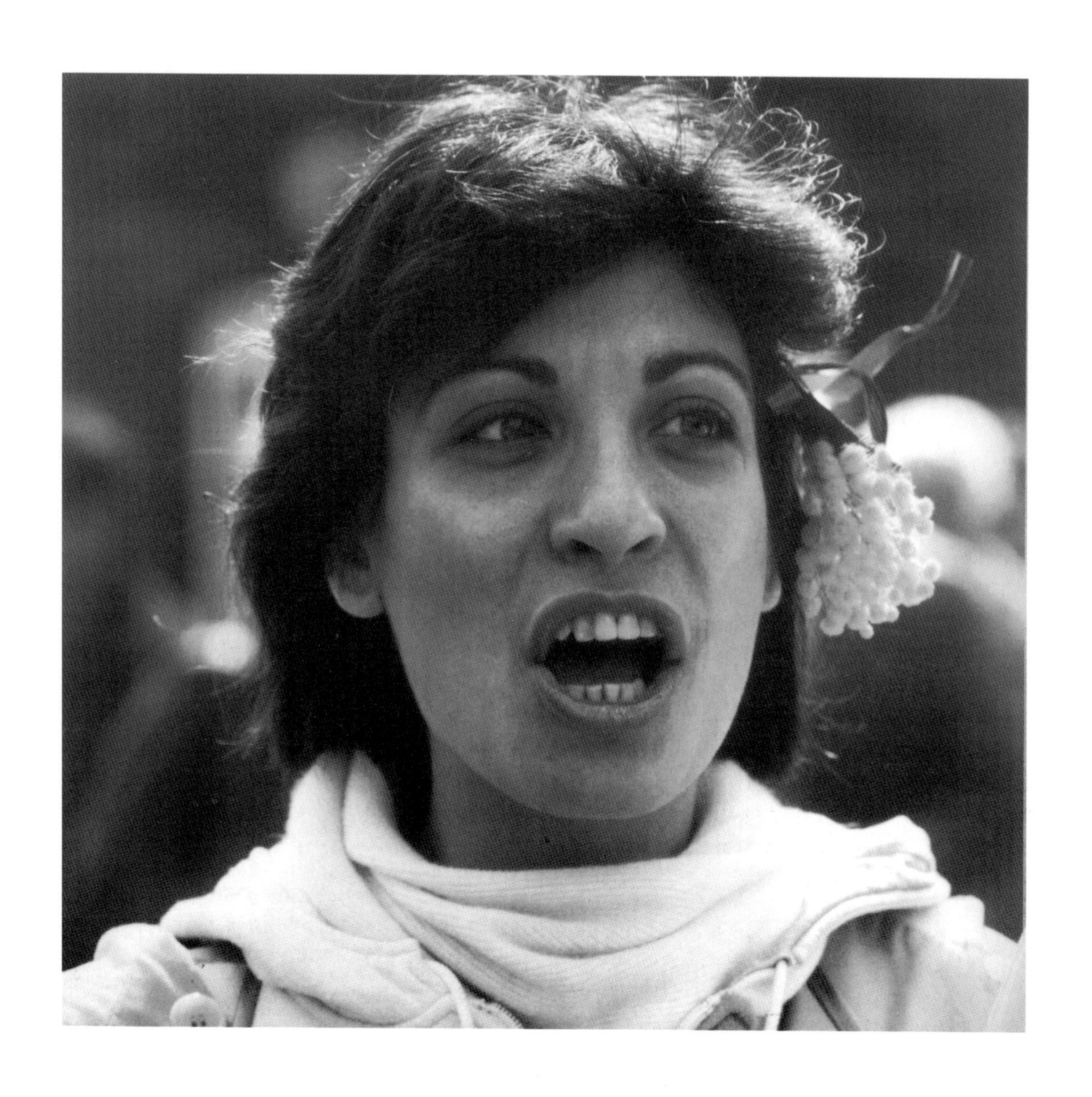

Arrivederci ragazze

Oggi come allora: per Mario Capanna le studentesse del '93 assomigliano alle compagne del '68. Con qualcosa in più

Ragazze protagoniste del Movimento '93? Una tesi che Mario Capanna sposa con entusiasmo. Che differenza c'è con le tue compagne d'allora?

«Non molta. Il '68, come lo definì "Time" vent'anni dopo, è stato "un rasoio che ha separato il passato dal futuro". E in quella rottura le donne si svegliarono più profondamente di noi uomini. È vero che allora la capacità di emergere visibilmente, di assumere ruoli in prima fila rimase limitata rispetto a quanto è accaduto oggi. Ma, grazie a una maggiore concretezza e a una minore propensione al vaniloquio che voi donne avete rispetto a noi, le mie coetanee furono attive in quel tipo di lavoro organizzativo che poi si rivelò decisivo. Le idee, anche le più grandi, non camminano se non hanno delle gambe».

Pare che del femminismo le diciottenni non sappiano che farsene.

«Non importa se oggi esiste o no, esistono gli effetti positivi che ha prodotto e che si ripercuotono nell'agire e nel pensare delle ragazze. Non sarebbero altrimenti così pronte e ricettive al cambiamento. Lo si coglie anche nel linguaggio. Si sente che hanno a fianco genitori che hanno fatto il '68. Usano di frequente la parola "liberazione", oltre che "emancipazione", un termine femminista che non ha perso la sua forza. Usano un linguaggio appropriato e si muovono con spigliatezza, hanno alle spalle delle conquiste acquisite che le pongono a un livello superiore rispetto all'apatia diffusa che pure in qualche zona del mondo giovanile esiste».

Moda - Marzo 1994

Le cifre presenti nel rapporto ONU sullo stato della popolazione mondiale nel '95 non sono incoraggianti sul fronte femminile: ogni anno nel mondo 670 mila donne muoiono di aborto clandestino; oltre 90 milioni di bambine sono private anche dell'istruzione primaria; 600 milioni di donne sono analfabete. Le cifre delle statistiche aggiungono informazioni inquietanti sulla condizione femminile: il 60% dei poveri sono donne, l'80% della produzione agricola dei Paesi africani è realizzata da donne, la stessa percentuale subisce delle violenze e con i bambini costituisce il grosso dei rifugiati e dei profughi nelle zone di guerra. L'altra metà del cielo, pur costituendo più della metà della popolazione mondiale, rappresenta appena il 10% degli eletti negli organismi politici di ogni livello, cifra ben lontana dal 30% suggerito dal Consiglio Sociale ed Economico delle Nazioni unite. Infine nella maggior parte dei Paesi le donne *manager* rappresentano appena il 10-20% dei quadri dirigenziali. Attualmente l'ONU individua nell'istruzione il problema della subalternità femminile: i pregiudizi di natura ideologica, religiosa, culturale che escludono le donne dalla scuola alimentano la spirale del sottosviluppo economico.

Gioia 9.9.1995

DONNE/IL PARTITO ANTIFEMMINISTA

Basta con la piazza. Basta con l'ipoteca della sinistra. Così sarà il nuovo movimento rosa fondato dalla signora Ferrara.

«MI INFURIO QUANDO vedo che le donne si lasciano strumentalizzare dalla sinistra, che non è mai stata dalla loro parte. Anzi. E poi non ha più senso riunirsi solo per protestare e per contarsi». E con questo la manifestazione di piazza di Siena è sistemata. Sistemate sono le cinquantamila femministe che si sono ritrovate, dopo tanti anni di marginalità e di confusione, nel grande appuntamento di sabato scorso a Roma.

Con due fendenti ben mirati Anselma Dell'Olio, da qualche anno in Ferrara, mette a fuoco due punti deboli dell'iniziativa femminista che non sono sfuggiti ad altre, meno prevenute, osservatrici: la presenza troppo acclamata di Fausto Bertinotti e la voglia di essere tante, comunque assortite, pur di contarsi. Ma quella che Beniamino Placido qualche anno fa definì una «moderna Petronilla» ha i suoi buoni motivi per non guardare con benevolenza a questo rigurgito di femminismo. Da qualche settimana si dà molto da fare per aggregare quante più donne possibile alla sua nascente Associazione donne per le libertà, gruppo in via di definizione che ha avuto una genesi tanto imprevista quanto affrettata.

Diario

di ROBERTO D'AGOSTINO

■ Anzitutto voglio premettere che il femminismo oltranzista mi è antipatico perché certe femministe chiedono molto meno di quanto le donne hanno già. A conti fatti, diciamo che le femministe col singhiozzo forcaiolo hanno espresso ed esprimono una nevrosi e un disagio comuni alla piccola borghesia intellettuale, e da questo deriva l'imbarazzo che la gente qualsiasi prova di fronte a certe loro impennate. Innumerevoli sono i casi di esilarante umorismo involontario quando si approda al femminismo ideologizzatissimo di certe ragazze arcigne e seriose che inventano frasi minacciose e rivoltose del tipo: "L'amore romantico è stato inventato per manipolare la donna" In breve: trasformare il femminismo in un programma politico e renderlo un'alternativa ideologica all'amore. Risultato: le donne hanno scoperto finalmente l'uomo ideale. Se stesse. Sia chiaro: io non predico il ritorno ai fornelli, ma che ognuno si inventi la propria vita (a chi vuol fare una rivoluzione si chiede di inventare una vita).

Il femminismo è un movimento che non ha più ragione di esistere?

11

PRO

1. Ha raggiunto estremismi poco accettabili dalle donne di oggi.
2. Fa molto chiasso per obiettivi che si possono ottenere pacificamente.
3. Esaspera l'antagonismo con l'uomo.
4. La solidarietà tra donne non può sostituire il rapporto con gli uomini.
5. Chiude le donne in una setta.
6. Non è conciliante.
7. È strumentalizzato da partiti di idee radicali e libertarie.
8. Protesta con troppo folclore invece che con contenuti.
9. Molte femministe militanti una volta giunte al potere si comportano come gli uomini.
10. Ormai le donne hanno ottenuto tutto ciò che volevano: non c'è più ragione di lottare.
11. Le donne hanno assunto un atteggiamento vittimista da cui non riescono più a uscire.

CONTRO

1. Nel mondo le donne sono ancora emarginate e sfruttate.
2. Nel mondo molte donne vivono ancora in condizioni di sofferenza.
3. Le donne non sono ancora rappresentate sufficientemente nel mondo della politica.
4. Nei paesi avanzati le donne hanno poche cariche dirigenziali.
5. La crescita di molestie e stupri indica che molti problemi non sono stati ancora risolti.
6. La questione dell'interruzione volontaria di gravidanza è ancora aperta.
7. Il problema del controllo delle nascite non è ancora risolto.
8. Anche nei paesi industriali le donne subiscono tuttora troppa violenza domestica.
9. La parità di opportunità è rimasta a livello teorico e non viene attuata nella pratica.
10. Anche se il femminismo ha perso la sua carica rivoluzionaria, è pur sempre un movimento indispensabile per le donne.
11. Ci sono troppi pregiudizi contro le donne che neppure le nuove tendenze *politically correct* riescono a sradicare.
12. I modelli culturali proposti dai mass media sono antiquati: top model, show-girl, attrici di scarso talento.
13. Il femminismo deve combattere gli effetti devastanti che i media hanno sulle giovani ragazze.

Le medicine alternative sono migliori di quelle tradizionali?

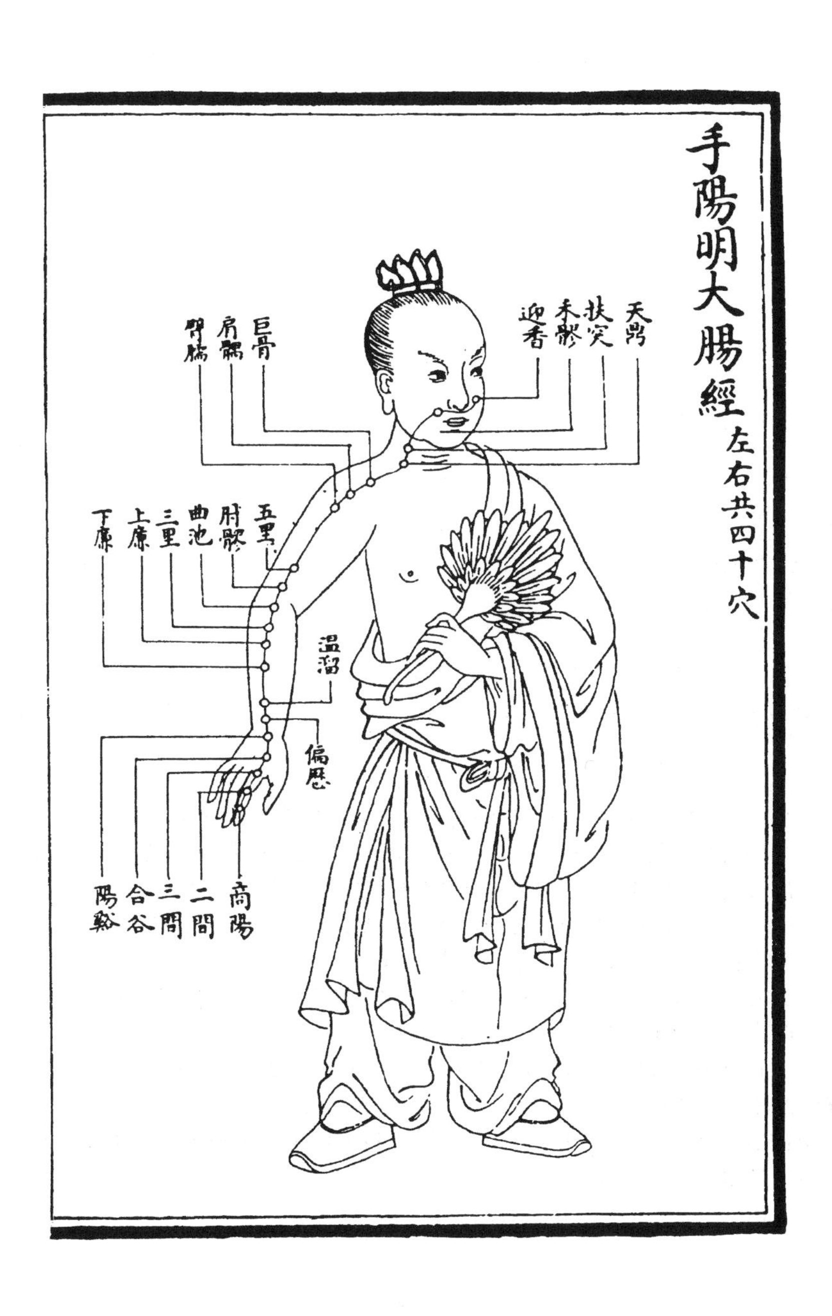

LA GUIDA

AGOPUNTURA. Praticata in Oriente già 2700 anni prima di Cristo, ritiene che il corpo umano sia attraversato da un reticolo di canali energetici che ne costituiscono l'essenza vitale. Su questi meridiani si distinguono circa seicento punti attraverso i quali gli aghi si prefiggono di riequilibrare l'energia vitale interrotta o disturbata. Negli stessi punti possono applicarsi sigari moxa. Si ritiene che possa essere particolarmente efficace nei disturbi del sistema locomotorio, nelle patologie reumatiche, cefalee, riniti allergiche, asma bronchiale, sindrome ansiosa e depressiva. È una terapia di competenza medica.

Società Italiana di Agopuntura, Milano 02/ 2047778;
Associazione Medica di Agopuntura, Roma, 06/ 317095.

CHIROPRATICA. Si fonda sul principio che tra sistema nervoso e spina dorsale esistano delle correlazioni precise. Con una serie di manipolazioni il terapeuta agisce sulle alterazioni della colonna vertebrale. È spesso associata con particolari ginnastiche e metodi di rilassamento.

Associazione Italiana Chiropratici, Genova 010/ 5533036

IRIDOLOGIA. È un metodo di diagnosi e si basa sul principio che ogni zona della nostra iride corrisponde a un particolare organo o funzione del nostro corpo. Con l'osservazione il terapeuta può capire quali disturbi ci affliggono e da quanto tempo.

Centro Nuova Medicina, Bologna 051/246569

OMEOPATIA. Medicina nata a cavallo tra il 700 e l'800, grazie alle intuizioni del medico tedesco Samuel Hahnemann. Si basa, oltre che su un sistema di diagnosi molto complesso che vede unitariamente corpo e psiche, sulla "legge dei simili": uno stato morboso può essere curato da quantità infinitesimali di una sostanza che assunta da un uomo sano in dosi massicce può provocare un quadro sintomatologico simile. La diluizione della sostanza è il mistero scientifico non ancora spiegato, poiché in base al Numero di Avogadro a partire dalla 12ma diluizione centesimale scompare la probabilità della presenza di una molecola di principio attivo. Cionostante è una delle medicine non convenzionali più consolidate e in grado di curare varie patologie. Di competenza medica.

Federazione Italiana Medici Omeopatici, Roma 06/5812388
Libera Università Nazionale di Medicina Omeopatica, Napoli 081/7614707

RIFLESSOLOGIA PLANTARE. Individua una corrispondenza tra i punti della pianta del piede e del palmo della mano e i vari organi del corpo Il riflessologo li massaggia con il pollice, con movimenti lenti e ondulatori, in grado di conferire senso di relax e benessere.

Centro Italiano di Riflessologia Fitzgerald, Milano tel. 02/ 29406827; Roma; 06/8860160.

NATUROPATIA. Fa risalire l'origine delle varie malattie all'accumulo di scorie nell'organismo, e proprio l'organismo, aiutato, ha il potere di ristabilire l'equilibrio. La cura fondamentale è quindi quella disintossicante, che si attua con digiuni, diete, tisane e attività all'aria aperta.

Associazione Nazionale Italiana Medici Naturopati, Conegliano (TV) 048/ 3411168.

SHIATSU. Particolare pressione modulata e ritmica, praticata su alcuni determinati punti dei canali energetici che percorrono il nostro corpo. Sblocca le tensioni muscolari e mette in moto processi antinfiammatori grazie alla liberazione di endorfine autoprodotte dal nostro organismo.

AMERS, Roma. 06/ 37516391
Federazione Italiana Shiatsu, Milano 02/58114705

La Nuova Ecologia 3.1993

Via il dolore! E il rene

Molti farmaci antidolorifici alla lunga sono dannosi. Soprattutto quelli da banco. E allora...

Mi dia qualcosa per il mal di testa. O per il mal di denti, di schiena o di quant'altro. E le scatole che il farmacista tira fuori dal cassetto hanno l'aria più innocua del mondo. Niente ricetta. Eppure sul New England Journal of Medicine sta scritto che quelle pillole possono essere micidiali per i reni, e che addirittura un caso su dieci di insufficienza renale potrebbe essere evitato con un uso più moderato degli antibiotici.

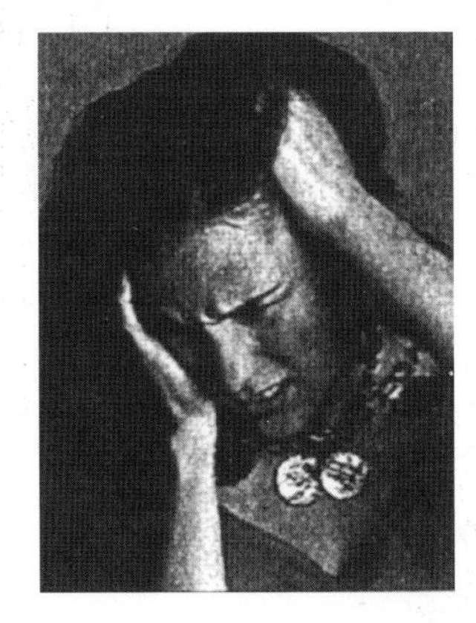

Due precisazioni. Primo: non tutti gli ingredienti dei medicinali in vendita come prodotti da banco sono ugualmente sospetti.

Risulta che l'uso frequente e continuativo di pillole a base di paracetamolo (ingrediente di molti prodotti da banco) o di altri Fans (farmaci antinfiammatori non steroidei, soprattutto ipubrufene) sia pericoloso per i reni, mentre ciò non varrebbe per la sempreverde aspirina.

Secondo: per scassarsi i reni ce ne vuole di pillole. Bisogna ingoiarne migliaia nel corso della vita, oppure più di una al giorno per qualche anno.

«Non mi sono arreso»: due testimonianze straordinarie

Simona, 44 anni, giornalista

«Sono passati quasi quindici anni da quando mi venne diagnosticata la sclerosi a placche. Il mio medico mi strinse forte una mano e mi disse "non c'è niente da fare". Seppi così che ero destinata a un progressivo peggioramento, e quindi alla paralisi. Non mi arresi. Andai da un omeopata.

Quello che mi prescrisse non furono solo granuli e iniezioni ma anche uno stile di vita: totalmente diverso da quello che avevo praticato fino ad allora. Amavo vivere di notte, bere, ballare. Divenni più introversa, più quieta: la mattina mi alzavo presto, anche perché tutti i giorni, alle otto meno un quarto, dovevo telefonare al medico e dirmi come mi sentivo. Adottai una dieta rigida, da cui erano esclusi molti degli alimenti che avevo sempre preferito: caffè, alcolici, carne. Passai così due anni. Alla fine, venni dichiarata completamente guarita».

Il famoso caso Hay

Ma c'è anche chi esibisce esami del sangue, biopsie e radiografie. Un caso famoso è quello di Louise Hay, ex modella statunitense che della sua guarigione dal cancro ha fatto un business: libri, cassette, corsi. Tutti improntati al concetto «Puoi guarire la tua vita», che è poi anche il titolo di un suo best seller. Ovvero: come liberarsi dal cancro con una dieta appropriata, la meditazione e i pensieri positivi, secondo un metodo utilizzato da molte cliniche «alternative» americane.
In Giappone, invece, esiste tutta una casistica di remissioni ottenute con la dieta macrobiotica di Michio Kushi, la cui clinica è meta di pellegrinaggi internazionali.
Più rare le remissioni da Aids: i casi accertati si possono contare sulle punte delle dita. E tutti gli interessati sostengono di non essere guariti per caso, ma di essersi «creati» la possibilità di tornare di nuovo in buona salute rivoluzionando il loro stile di vita, adottando una dieta, e seguendo un percorso psicologico.

Donna Oggi 10.8.1995

12

«Ma io non ci credo»

Ecco il parere del professor Silvio Garattini, direttore dell'Istituto di ricerche farmacologiche «Mario Negri» di Milano

«Credo che anziché utilizzare il termine "guarigioni miracolose" bisognerebbe parlare di "diagnosi errate": molti dei tumori che scompaiono in realtà non erano tumori. Tuttavia nella letteratura scientifica internazionale esistono casi di regressione spontanea che la medicina non riesce a spiegare. Ma sono comunque convinto che in futuro si troverà la causa anche di questi fenomeni. Proprio per questo è importante indagare perché da questi strani casi possono derivare importanti scoperte».

Donna Oggi 10.8.1995

OMEOPATIA DAL VETERINARIO

IL FAR-WEST farmacologico degli allevamenti intensivi ha spinto le associazioni biologiche a prescrivere l'uso di rimedi omeopatici e di altre forme di medicina alternativa. È una via praticabile? «Certamente» risponde Franco Del Francia, presidente della Scuola Superiore di Veterinaria Omeopatica di Cortona, che ha già diplomato un centinaio di veterinari «alternativi». «I rimedi omeopatici funzionano e non lasciano residui nell'organismo degli animali. Tranne che per le malattie infettive sottoposte a leggi sanitarie - come la tbc e la brucellosi - l'omeopatia può essere utilizzata con ottimi risultati.

Eco - Gennaio, 1995

Le medicine alternative sono migliori di quelle tradizionali?

PRO

1. Le medicine alternative non intossicano il corpo con sostanze chimiche.
2. I farmaci hanno troppi effetti collaterali nocivi.
3. Spesso i farmaci danno assuefazione e creano nuovi problemi.
4. La medicina tradizionale non ha un approccio "olistico": non valuta tutto l'individuo nel suo insieme.
5. Le medicine alternative sono spesso associate a diete particolari e a ginnastiche rilassanti.
6. Curano con successo problemi che spesso i farmaci non riescono a risolvere.
7. Impongono una nuova filosofia di vita.
8. Il paziente non "subisce" la cura ma ne è partecipe.
9. Il medico ha un rapporto differente con i suoi pazienti: è molto più disponibile.
10. Risolvono molti problemi legati allo stress: ciò è dovuto anche all'approccio "psicologico" del medico.
11. La loro validità è suffragata da innumerevoli casi di guarigioni miracolose anche da gravi malattie.
12. L'efficacia dei rimedi a base di erbe è provata dalla loro tradizione millenaria.
13. L'agopuntura viene usata dalla medicina orientale da vari secoli.
14. L'omeopatia è efficace anche sugli animali per i quali non si può certamente parlare di "effetto placebo".
15. La chiropratica è l'unica pratica che riesce a risolvere problemi legati a alterazioni della colonna vertebrale senza l'uso di metodi invasivi.

CONTRO

1. Sono suffragate da pochissima ricerca scientifica.
2. Danno false illusioni a pazienti con malattie gravi.
3. In molti casi "curano" mali inesistenti.
4. Molti malati immaginari hanno solo bisogno di qualcuno che li ascolti.
5. Giocano sull'"effetto placebo" (autocoinvinzione di guarire).
6. Agiscono al di fuori del servizio sanitario nazionale: sono un lusso per ricchi.
7. Possono imporre i prezzi che vogliono senza alcun controllo.
8. Coinvolgono un grosso giro d'affari a cui nessuno vuole rinunciare: per questo usano una propaganda illusoria.
9. Risolvono solo patologie secondarie, non problemi seri.
10. Funzionano solo su persone altamente suggestionabili.
11. Molte guarigioni "miracolose" in realtà sono diagnosi errate.
12. Certe patologie possono essere curate solo con gli antibiotici o con interventi chirurgici.
13. Non ci sono prove scientifiche per l'omeopatia: una sostanza diluita a tal punto da scomparire non può avere alcun effetto.
14. L'erboristeria è solo una moda. È impensabile usarla per problemi seri.
15. Queste medicine sono spesso contrarie anche ai vaccini che hanno salvato milioni di vite umane.
16. Sono accettabili solo quelle pratiche (come la chiropratica e l'agopuntura) che sono state provate scientificamente.

È crudele indossare le pellicce?

Pubblicità bocciata. Il giurì dell'Istituto di autodisciplina pubblicitaria ha ingiunto, con un provvedimento d'urgenza, all'Associazione italiana pellicceria di sospendere la campagna pubblicitaria che aveva come head line «Scelgo la natura rispettandola» e «Pelliccia è natura». La condanna è stata decisa su sollecitazione di un esposto di Animal Amnesty che smentiva in ogni dettaglio le affermazioni sbandierate dai pellicciai. Pubblicità scorretta dunque perché il messaggio di stampo ecologico-naturalistico per il Comitato «è stato realizzato al fine di fornire al potenziale acquirente di pellicce una sorta di alibi emozionale al suo atto di acquisto».

Eco, gennaio 1995

MANUALI

ISTRUZIONI PER L'HORROR

"L'uccisione dell'animale da pelliccia completa le fatiche di un intero anno. E' quindi un momento estremamente delicato: un piccolo errore può danneggiare più o meno gravemente la pelliccia". Questo si legge in "Allevamento del visone" (D. Scaramella e G. Motti, Edagricole) e questa è da sempre la linea degli allevatori: evitare qualsiasi pratica che possa rovinare il pelo degli animali.

"Le volpi, ad esempio, vengono uccise per elettrocuzione - spiega Walter Caporale, della Lav -. Un elettrodo viene assicurato alla bocca dell'animale e l'altro all'ano. Una scossa di circa 200 volt provoca una morte che dovrebbe sopraggiungere in pochi secondi, ma che spesso è più lenta. L'elettricità fa irrigidire l'animale e rizzare il pelo. La pelliccia sarà quindi più voluminosa e morbida. Autentiche nefandezze poi vengono commesse per ricavare diversi tipi di pelliccia dall'agnello della pecora karakul, allevata soprattutto in Iran, Afghanistan, Asia centrale, Ucraina, Sud Africa e Namibia. Gli agnelli vengono sgozzati e scuoiati tra il quinto e il decimo giorno di vita, quando il pelo è particolarmente morbido e piacevolmente arricciato. Così si ricavano il persiano e l'astrakan. Il breitschwanz, più pregiato, si ottiene invece da agnelli abortiti".

13

MARINA RIPA di MEANA (attivista animalista): «Indossare pellicce solo per un atto di vanità è macabro».

«Per tanti anni ho avuto e indossato pellicce, mi piacevano, mi tenevano caldo. Poi ho visto come gli animali vengono ammazzati, sono andata al Polo Nord e ho assistito al massacro delle foche, prese a bastonate. Ho preso coscienza. E ho bruciato le mie pellicce in piazza, con un gesto pubblico. Credo che ormai indossarle sia fuori moda, lo sanno tutti che sono il risultato del sacrificio di molti animali. Non a caso i prezzi si sono abbassati e nemmeno al Monte di Pietà le vogliono in pegno.
La gente si vergogna di portarle. Le donne preferiscono altri regali. Loro, i pellicciai, si rifiutano di ammettere che sono in crisi, eppure ricorrono a sistemi di infimo ordine pur di fare notizia.

Olympia

DONATELLA PECCI BLUNT (imprenditrice): «Se gli animalisti fossero coerenti, dovrebbero portare solo scarpe di tela».

«Credo che in questa polemica serva un po' di buon senso. Gli animalisti che gridano e improvvisano show violenti, in occasione delle sfilate, dovrebbero spiegare quali sono esattamente gli animali che a loro interessano. Perché, ad essere coerenti, dovrebbero essere vegetariani, usare scarpe e borse di tela, non portare cinture e così via. E si dimenticano, tra le altre cose, che il settore della pellicceria è prezioso per il "made in Italy", e dà lavoro a tante persone.

addio alle pellicce?

Donna Oggi 19.9.1995

Uccidere un animale è un crimine? Per qualcuno sì, ma solo se ha il pelo.

Da che mondo è mondo l'uomo utilizza gli animali: per nutrirsi, per coprirsi, per vivere o per vivere meglio. Oggi, qualcuno ha deciso di essere vegetariano o di non usare per sè prodotti di provenienza animale.

Molti però continuano a indossare camicie di seta, a portare scarpe di cuoio e a mangiare bistecche. Oltre 6.000.000 di donne italiane indossano una pelliccia. È una questione di scelte e tutte devono essere rispettate.

Pensateci, prima di formulare un'opinione. E non lasciatevi condizionare dai pregiudizi e dall'intolleranza di chi, in nome del rispetto per gli animali, trascura di rispettare le persone, le loro scelte e le loro libertà: compresa quella di portare una pelliccia.

A I P
ASSOCIAZIONE ITALIANA PELLICCERIA

L'unica cosa che rischia l'estinzione è la libertà di scelta.

Il Giornale, 11.10.1990

ANIMALI. In Italia non esistono né leggi né controlli sugli allevamenti delle "vittime della moda".

Ogni anno, centinaia di milioni di visoni, ermellini, volpi, zibellini, lontre, scoiattoli, castori e altre specie, perdono la vita in tutto il mondo per soddisfare la brama del loro splendido pelo. Oltre quaranta milioni di animali vengono uccisi per produrre pellicce destinate al solo mercato italiano. Infatti, se gli Stati Uniti sono i maggiori consumatori di pellicce in numero assoluto, seguiti dal Giappone, il nostro paese è primo per il consumo in proporzione alla popolazione, tallonato da Spagna, Francia e Germania. Ma tante, molte di più sono le pelli che giungono in Italia per essere trasformate da abili mani in giacche e cappotti ambiti in tutto il pianeta. Oggi, tuttavia, prima per consumo pro-capite di pellicce, rinomata in tutto il mondo per la qualità della lavorazione delle pelli, l'Italia non ha ancora una legge sugli allevamenti di animali da pelliccia. Un fatto che preoccupa molto gli animalisti, per l'impossibilità che ne deriva di controllare il settore e punire abusi e crudeltà, ma che non sconvolge i pellicciai.

LE CIFRE DELLA STRAGE

Numero di animali utilizzati per ottenere una pelliccia

CAVALLINO	6/8
LONTRA	10/16
VOLPE	10/24
CASTORO	16/20
AGNELLO KARAKUL	18/26
VISONE	34/54
MARTORA	40/50
ZIBELLINO	60/80
TOPO MUSCHIATO	60/120
CINCILLÀ	130/200
ERMELLINO	180/240

La Nuova Ecologia 2 - 1994

È crudele indossare le pellicce?

PRO

1. Bisogna rispettare gli animali.
2. Non viviamo più nell'età della pietra: possiamo vestirci in modo più civile.
3. Ormai esistono le microfibre sintetiche che tengono anche più caldo.
4. Si possono indossare pellicce ecologiche. Perché uccidere animali innocenti?
5. La pelliccia non rende la donna chic, al contrario la rende volgare.
6. È uno status symbol per donne ignoranti e insensibili.
7. È un regalo per la donna oggetto.
8. Non sono più di moda. La tendenza *politically correct* non le ammette.
9. Purtroppo in Italia la moda "*cruelty free*" è ancora poco diffusa.
10. Occorrono fino a 40 animali per fare una pelliccia: è un massacro!
11. Negli allevamenti gli animali perdono il loro ambiente naturale.
12. Negli allevamenti perdono le loro abitudini: il loro comportamento degenera.
13. È un settore in cui le crudeltà e gli abusi non possono essere controllati e puniti.
14. Gli animali sono uccisi col gas, con l'elettricità o strangolati.
15. I cuccioli perdono le loro mamme che diventano pellicce.

CONTRO

1. È un'industria molto importante per l'Italia.
2. Dà lavoro a molte persone e rende ingenti profitti.
3. È un'antica tradizione dell'artigianato italiano che non si deve perdere.
4. In Italia si fanno le pellicce più eleganti del mondo. Perché distruggere questo settore attivo dell'economia?
5. Le pellicce rendono le donne eleganti e affascinanti.
6. Questo atteggiamento nasce dalla gelosia di chi non se le può permettere.
7. Gli animalisti sono ipocriti: spesso mangiano carne e usano oggetti in pelle.
8. Le campagne degli animalisti sono troppo estremiste, ottengono effetti contrari.
9. Tali campagne usano la stessa violenza che proclamano di combattere.
10. Gli animali da pelliccia sono tutti d'allevamento.
11. I piccoli stanno vicino alle mamme e non sono abbandonati.
12. Spesso gli animali (per es. i conigli e gli agnelli) sono poi usati nel mercato alimentare.
13. Gli esseri umani devono avere la precedenza nell'ecosistema.
14. I seguaci del *politically correct* rischiano di rovinare un settore attivo dell'economia.
15. In certi climi freddi non si potrebbe vivere senza le pellicce.
16. Molte star rinunciano a indossarle solo per farsi pubblicità e per esibizionismo.

Bisogna far di tutto per cercar di vivere il più a lungo possibile?

Si chiama Melatonina, da quando è possibile produrla sinteticamente si è acceso l'interesse per i suoi effetti Ma la scienza mette in guardia dai facili entusiasmi

Dalle librerie ai supermarket in America non si parla d'altro

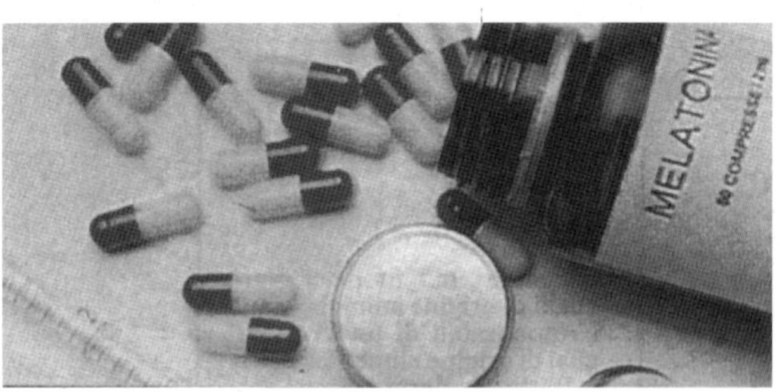

Salute - Supplemento alla Repubblica, 11.11.1995

Usa, sì al cerotto al testosterone per fare l'amore a settant'anni

NEW YORK — L'ente americano per il controllo dei farmaci ha approvato un nuovo cerotto al testosterone, il principale ormone sessuale maschile, che rinverdisce per gli uomini il sogno di trovare una "seconda giovinezza". A mettere sul mercato il prodotto sarà la società farmaceutica inglese Smith Kiline Beecham. Il cerotto potrà essere collocato sul braccio, sull'addome, sulla schiena o sulla coscia. Il cerotto è stato approvato dalle autorità federali come cura per l'ipogonadismo, una condizione causata dall'insufficiente produzione di testosterone. I sintomi possono comprendere l'impotenza, la perdita del desiderio sessuale, l'affaticamento, la depressione e l'osteoporosi.

La maggior parte degli uomini ha un calo nei livelli di testosterone tra i 40 e i 50 anni e all'età di 70 anni producono la metà della quantità di ormone di quando avevano trent'anni. Secondo alcune stime il 15 per cento degli uomini anziani potrebbe soffrire della condizione trattata dal cerotto.

La Repubblica 4.10.1995

"Dhea" l'ultima molecola che ha fatto sperare

ERA LA FINE del 1994 e il mondo intero festeggiava la scoperta dell'ennesimo "ormone miracoloso", in grado di sconfiggere diabete, obesità, malattie del cuore, di rafforzare il sistema immunitario, di proteggere dal cancro e allontanare l'invecchiamento. E qualcuno prontamente lo ribattezzò "elisir di lunga vita". Il deidroepiandrosterone (Dhea), un ormone dei surreni (quelle ghiandole che si trovano sopra i reni) che agisce sullo sviluppo delle ossa e dei muscoli, soprattutto durante l'adolescenza, era stato scoperto da un endocrinologo francese alla fine degli anni '50, Etienne Emile Baulieu. Allora il DHEA non aveva destato l'interesse che avrebbe suscitato trent'anni più tardi. Alla fine degli anni '80, Baulieu — allora più noto come padre della contestata «pillola del giorno dopo», la Ru 486 — pubblicò un articolo su una importante rivista internazionale di endocrinologia, in cui prospettava alcune applicazioni interessanti di questo ormone. La stampa francese riprese l'avvenimento con grande clamore, e la buona novella si sparse in tutto il mondo: era in arrivo la sostanza che avrebbe sconfitto la vecchiaia.

Naturalmente, le cose non stavano esattamente così. Alla base delle affermazioni dello studioso francese stava l'osservazione che i livelli di questo ormone decrescono col passare degli anni, come per la melatonina. Somministrando il Dhea ad alcune cavie, Baulieu aveva notato che gli animali da laboratorio evitano alcune gravi malattie. E che aumentando il livello dello stesso ormone in soggetti tra i 40 e i 70 anni, migliorano le condizioni psicofisiche. «Ma il DHEA non allontana la morte», avverte lo scienziato francese. Al massimo, può migliorare la vecchiaia. Forse.

Salute - Supplemento alla Repubblica, 11.11.1995

Ma io non ci credo

colloquio con Luigi Amaducci

«L'idea che esista un farmaco toccasana in grado di fermare l'orologio biologico mi lascia molto perplesso». A parlare è Luigi Amaducci, neurologo, direttore del Progetto Finalizzato Invecchiamento del Cnr. "L'Espresso" lo ha intervistato: dall'ormone Dhea di Baulieu a una buona ricetta per invecchiare bene.

Professore, che cosa non la convince della ricerca di Baulieu?

«In primo luogo il fatto che ogni singolo organo segue dei meccanismi di invecchiamento diversi da quelli degli altri. Dunque, un'unica molecola non può apportare benefici all'intero sistema. In secondo luogo, il fatto che non è assolutamente detto che tra i livelli dell'ormone Dhea nell'organismo - che si abbassano con l'avanzare dell'età - e l'invecchiamento ci sia una relazione causa-effetto: il calo dell'ormone potrebbe essere semplicemente un effetto secondario del processo. Non solo: dal punto di vista tecnico lo studio del professor Baulieu ha molti punti oscuri: le ricerche sull'invecchiamento devono avere tempi storici e una mole di finanziamenti che solo le multinazionali si possono permettere».

Quali sono i fattori che influiscono sul benessere degli anziani?

«Direi tutti quelli che riguardano un sano stile di vita: l'alimentazione, l'igiene, l'attività fisica... Poi, anche i fattori socio-economici hanno un peso determinante. Uno studio della Banca Mondiale del 1993 dimostra che l'aspettativa di vita delle persone è strettamente legata al reddito, alla classe sociale, al grado di istruzione».

Intende che i ricchi campano cent'anni...?

«Diciamo che l'aspettativa di vita cresce in modo proporzionale all'aumentare del reddito. Naturalmente non è un principio valido all'infinito: oltre la soglia dei 25 mila dollari l'anno, non c'è denaro che tenga. Se però a un tenore di vita elevato si aggiunge anche un buon livello culturale, le probabilità di arrivare in forma alla soglia degli ottant'anni crescono ancora di più. Chi ha una buona istruzione, infatti conosce i rischi del fumo o dell'alcol, svolge una professione meno logorante dal punto di vista fisico, quando si ammala segue con continuità la terapia e i consigli del medico».

Dunque, denaro e cultura. E poi?

«E poi qualche accorgimento di natura tecnica. Le faccio un esempio: pensiamo alle gomme di un'automobile. Se la macchina percorre strade piene di buche invece che autostrade, il battistrada si consuma rapidamente. In altre parole, non è tanto importante quanti chilometri si fanno, ma in che condizioni si viaggia. Lo stesso vale per gli esseri umani: un'attività metabolica molto intensa consuma il nostro organismo. E allora è meglio evitare le frenate brusche, le accelerazioni improvvise. Dal punto di vista pratico, questo significa rendere graduale l'arrivo del pensionamento, magari cominciando con il part-time - come già succede in paesi come il Giappone - e arrivare con dolcezza al "semaforo rosso"».

Elisa Manacorda

L'ETERNA GIOVINEZZA

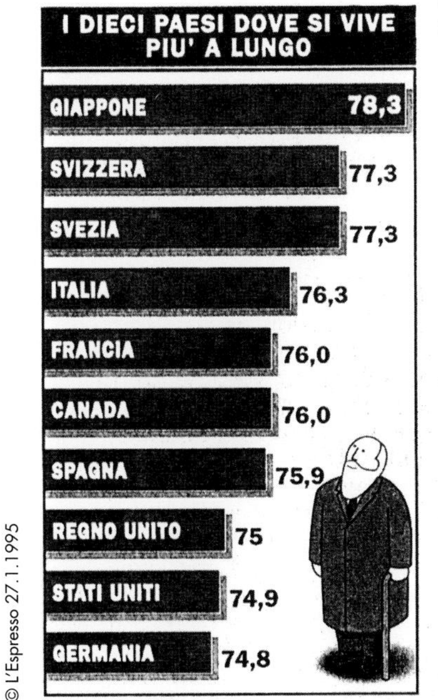

Dal grafico, la classifica dei dieci popoli più longevi del mondo. In testa i giapponesi: vivono in media 78,3 anni (Fonte: Onu)

FAMIGLIE ALLA ROVESCIA

Ci preoccupiamo e ci agitiamo per la scomparsa del panda, le piogge acide, il buco nell'ozono, e intanto l'Italia precipita verso un'inesorabile desertificazione umana. Mentre il pianeta scoppia di gente, gli italiani sono a rischio di estinzione. Non si fanno più figli e i pochi che verranno saranno circondati da arzilli nonni e bisnonni. Fra qualche decennio, ci sarà un bambino su dodici anziani. La soglia del "ricambio" generazionale, fissata intorno al 2,1 per cento, è scesa all'1,19 con un picco negativo della civilissima Bologna dello 0,9. I figli non sostituiranno i padri, e le pensioni, domani, ce le pagheranno i lavoratori extracomunitari.

Il Venerdì - Supplemento alla Repubblica, 10.11.1995

Bisogna far di tutto per cercar di vivere il più a lungo possibile?

PRO

1. Se si arriva alla vecchiaia in buona forma, si può continuare ad essere utili alla società.
2. Se si è felici è naturale cercare di voler allungare la propria vita.
3. Si passano anni a costruire la propria carriera: con una vita più lunga si avrebbe più tempo per mettere a frutto tanti progetti.
4. Dopo aver lavorato per tanti anni è giusto avere una lunga e serena vecchiaia.
5. È bene usare i nuovi farmaci che la scienza offre per rallentare l'invecchiamento.
6. Il segreto è non morire dentro e coltivare interessi di ogni tipo.
7. La società ha bisogno della saggezza degli anziani e del loro carisma.
8. La chirurgia plastica può far sparire i segni degli anni.
9. Bisogna celare la propria età. Ci sono troppi pregiudizi sugli anziani.
10. Se ci fossero circoli ed attività per gli anziani, la "terza età" sarebbe piacevole.
11. Gli anziani non sono un "peso morto": possono offrire il loro volontariato.
12. Gli anziani possono aiutare la propria famiglia prendendosi cura dei nipotini.

CONTRO

1. Non si deve contrastare il corso naturale della vita.
2. La vecchiaia è una "solenne fregatura". Perché volerla allungare?
3. Gli acciacchi e la solitudine non sono una bella prospettiva.
4. La società ha bisogno di energie nuove, non di un esercito di anziani da mantenere.
5. Gli anziani costano troppo in cure mediche e assistenza sociale.
6. Bisogna accettare il decadimento del corpo.
7. La chirurgia plastica crea figure "disumane" e ridicole.
8. Non si può pensare di evitare la fine a cui siamo destinati.
9. L'immortalità è solo un mito letterario (per es. Faust).
10. Prendere farmaci, anche se per ringiovanire, fa pur sempre male.
11. Cercare di ringiovanire può diventare un'ossessione nociva.
12. È meglio passare il corso degli anni con dignità che cercare di allungare la propria vita artificialmente.

Abbiamo bisogno di una nuova spiritualità?

Sondaggio, il 37 per cento degli intervistati "tentati" almeno una volta

"Sì, Satana esiste davvero" Ci crede un americano su due

WASHINGTON — "Satana? Esiste, eccome. Le è mai capitato di essere tentato dal diavolo? Sì, almeno una volta sicuramente...". Ecco un nuovo sondaggio sfornato per il popolo americano, ed ecco il nuovo esito a sorpresa scaturito da una serie di questionari cha stavolta hanno avuto come tema proprio Satana. Con il risultato che almeno due cittadini statunitensi su tre credono all'esistenza del diavolo, come riporta l'autorevole settimanale "Newsweek" che sarà oggi nelle edicole.

La convinzione che il diavolo esiste, condivisa da oltre il 65 per cento dei 261 milioni di abitanti degli Stati Uniti, sale all'ottantacinque per cento tra i protestanti, secondo il sondaggio che è stato condotto dal Princeton Research Associates su un campione di 752 persone delle quali 209 appartenenti alla chiesa evangelica protestante.

Il trentasette per cento degli intervistati — chiamati a fine luglio scorso a rispondere ai questionari sull'insolito tema — ha ammesso di essere stato tentato dal diavolo almeno una volta, mentre secondo il sondaggio tra gli intervistati appartenenti alle altre chiese protestanti la percentuale sale al sessantuno per cento.

La Repubblica, 6.11.1995

Sètte e maghi imbroglioni

Sul moltiplicarsi delle sètte e l'attrattiva da esse esercitata anche su molti cristiani si fa un gran discorrere. Riflessioni di notevole peso teologico e pastorale sono state avanzate a suo tempo dall'episcopato toscano nel giro di un discorso più ampio che concerne magia, occultismo e riti satanici. Sull'argomento, proprio la settimana scorsa, sono ritornati autorevolmente i vescovi della Campania, i quali hanno stigmatizzato «l'imbroglio colossale della magia» che, pronubi i mass media, fa breccia grazie alla credulità di tanta gente.

Il danno più grave non è quello, seppur vistoso, di ordine economico, ma consiste nella progressiva erosione del patrimonio di fede e di equilibrio etico-religioso, peraltro già così precario, che avviene quando si cede a tali suggestioni, specie nella frequentazione di sedute occultistiche, spiritiche o, peggio, sataniche.

Troppi cristiani, non senza colpa personale e latitanza ecclesiale, dimostrano una fede così fragile e superficiale da non percepire che «superstizione, magia e satanismo *sono in antitesi radicale con la fede cristiana*».

di Giuseppe Mattai, Famiglia Cristiana 5.4.1995

15

LA NUOVA SPIRITUALITÀ

SI STA DIFFONDENDO OVUNQUE, con la forza del passa-parola. È un bisogno che nasce da un momento di crisi, un improvviso desiderio di silenzio, la voglia di fermarsi. Può manifestarsi con un malessere del corpo, un dolore, la preoccupazione per le sorti del pianeta. Che portano a cercare soluzioni da più parti, attraverso la meditazione, l'esoterismo, le filosofie orientali. Nel tentativo di rispondere alla domanda di sempre: il senso della vita.

Marie Claire, Luglio 1995

La tragedia del "Tempio del sole" in Francia: anche tre bambini tra le vittime

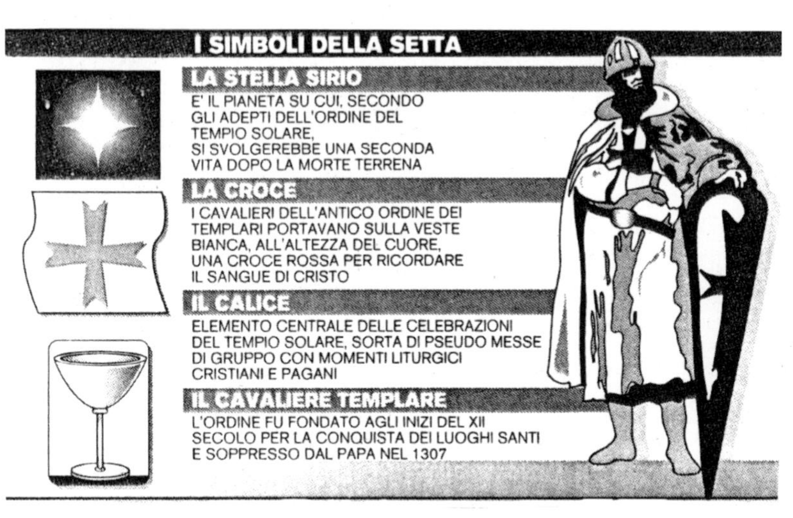

Di Arturo Buzzolan

Sedici seguaci si danno la morte

GRENOBLE — E' la setta dei suicidi. Sono stati trovati in un villaggio vicino a Grenoble i sedici seguaci del "Tempio del sole" che erano scomparsi: si sono tolti la vita, tra di essi ci sono anche tre bambini. I suicidi si sono sdraiati in cerchio, a forma di sole, cospargendosi il corpo di liquido infiammabile. Chi ha tentennato di fronte alla morte è stato «aiutato» da qualcuno che gli ha infilato un cappuccio di plastica sulla testa, altri sono stati uccisi con armi da fuoco. I tre bambini - di due, quattro e sei anni - erano sdraiati in mezzo. Un solo messaggio: «Possiamo, attraverso la nostra vita interiore, ritrovarci insieme l'uno con l'altro per sempre». Nel '94 altri 52 seguaci della stessa setta erano stati protagonisti di suicidi collettivi in Svizzera e in Canada.

La Repubblica, 24.12.1995

L'ESPERTO

Lo studioso Introvigne: "Ricchi ma con l'anima vuota puntano a raggiungere la stella Sirio"

"Manager e dirigenti alla ricerca di un'altra vita"

di ORAZIO LA ROCCA

ROMA — «Vuoto interiore, insoddisfazione, appannamento mentale e culturale, bisogno di seguire fino in fondo un guru». Per il professore Massimo Introvigne, uno dei più grandi studiosi italiani del fenomeno delle sette, sono queste le principali cause del nuovo suicidio degli adepti dell'Ordine del Tempio Solare scoperti in Francia. «Anche se - spiega - resta sempre da capire come mai persone culturalmente preparate e senza problemi economici, si ammazzino». Introvigne, 41 anni, docente di storia e sociologia delle religioni al pontificio ateneo «Regina apostolorum» di Roma, non è tenero con chi, fin dal 5 ottobre 1994, giorno in cui in Svizzera e in Canada fu scoperto un primo gruppo di suicidi del Tempio Solare, cercò di minimizzare le cause del fenomeno.

Massimo Introvigne

Perché questo nuovo suicidio?

«Queste nuove morti, a 14 mesi da quei primi suicidi del Tempio Solare, smentiscono quanti allora sostenevano che si trattava di persone sbandate. Non sono nemmeno di persone che hanno seguito, fino all'estremo, il carisma malato di un guru».

Quali sono, allora, le cause vere?

«La cause sono tante. Tra le più plausibili, la convinzione, alle soglie del Duemila, che il mondo stia per finire. E il suicidio è visto solo come un "passaggio" più accelerato verso un'altra vita, più idealizzata, sulla stella Sirio. Nel caso del Tempio Solare, c'è l'aggravante che è una organizzazione che vorrebbe essere come la reincarnazione, falsa, dei Templari scomparsi nel 1300. Per preparare il grande salto verso Sirio, si arriva al suicidio per un progressivo processo di autoesaltazione e di annebbiamento, che ha nella messa in scena della morte il momento centrale».

È, dunque, follia collettiva.

«Parlare di follia è riduttivo. Come possono essere folli manager, dirigenti, giornalisti, direttori di ministeri, esponenti del *jet set*. Erano di questo livello gli adepti del Tempio Solare»

Allora è insoddisfazione, mancanza di appagamento.

«È possibile. Si tratta di gente abituata al lusso, amante del successo e del denaro, ma che si accorge di avere nell'animo un vuoto che non sa riempire. E non essendo capaci a seguire figure come Giovanni Paolo II o Madre Teresa, si affida a un guru».

Forse ci vuole una legge più severa.

«No, le leggi non servono perché è difficile colpire gruppi che si nascondono, che non conosci. Ci vuole, invece, più preparazione, più studio, più formazione negli anni giovanili. Ma la scuola oggi non è preparata...».

La Repubblica 24.12.1995

15

Abbiamo bisogno di una nuova spiritualità?

PRO

1. La nostra società è in crisi, la spiritualità tiene viva la speranza.
2. Lo stress e il ritmo della vita d'oggi ci fanno perdere di vista qual è il senso della vita.
3. In Italia esistono circa seicento movimenti religiosi alternativi: è evidente che la nuova spiritualità è un'esigenza crescente.
4. Se la religione ufficiale non sa dare certe risposte, è bene cercarle nelle religioni alternative.
5. Il mondo materiale non offre più certezze, la vita spirituale sì.
6. Le tragiche calamità naturali degli ultimi anni sono un monito per il mondo terreno viziato dal materialismo.
7. Al mondo ci sono circa 20.000 sette religiose: non è una moda passeggera!
8. La magia e il satanismo sono un complemento alla religione ufficiale, non un'opposizione ad essa.
9. Dove non arriva la religione ufficiale è giusto che arrivino le sette alternative.
10. La fine del mondo è vicina: dobbiamo avvicinarci alla fede.
11. Solo la nuova spiritualità può dare la salvezza.
12. La presenza di Satana è ormai tangibile e visibile dappertutto: bisogna ricorrere agli esorcismi.

CONTRO

15

1. La paura per la fine del millennio crea stati irrazionali: era già accaduto mille anni fa!
2. L'esasperarsi dell'esoterismo è solo una moda passeggera.
3. I mass media non dovrebbero dare tanto spazio a maghi, veggenti e predicatori.
4. Sono fenomeni alimentati dalla crescente decadenza culturale.
5. Le sette religiose fanno proseliti fra gli ignoranti e gli insoddisfatti.
6. Solo gli egocentrici alla ricerca del proprio equilibrio psico-fisico possono dimenticare i gravi problemi sociali per dedicarsi alle pratiche esoteriche.
7. La religione va contenuta entro certi limiti, non può pervadere tutta la nostra vita.
8. "La religione è l'oppio dei popoli".
9. Le sette religiose offrono rifugio a chi non vuol combattere le grandi battaglie civili.
10. Dietro a molte sette religiose si celano gruppi fanatici, violenti e pericolosi.
11. La superstizione è alla base dell'occultismo.
12. Le migliaia di sette religiose proliferano sulla solitudine della gente e sulla paura del futuro.
13. Le sette sono un fenomeno tipico delle società avanzate.

16

Anche le donne devono fare il servizio militare?

⑧ un bel sorriso per le telecamere

Nel novembre del '92 l'Esercito italiano ha aperto per la prima volta le proprie porte alle donne. Ma è durato solo due giorni. Durante un corso d'addestramento sperimentale, 30 donne hanno imparato a indossare la divisa, tenere le armi in mano e sorridere alle telecamere. L'Italia è uno dei pochi paesi europei in cui le donne sono ancora escluse dalle forze armate.

Colors, n. 14, 1996

esercito al femminile, ma per la pace

Mi aveva stupito, a suo tempo, la lettera della ragazza che voleva a tutti i costi fare il carabiniere. E ancora di più mi stupisce che in questi giorni venga salutato come un successo delle donne il fatto che sarà loro concesso di entrare nell'esercito. Ma siamo impazzite? Non avevamo sempre detto, cara signora, che le donne sono, grazie a Dio e per loro natura, estranee a quella violenza della quale fanno tanto uso i signori uomini? E allora, cosa vogliamo? Partecipare anche noi a queste carneficine che sono in corso in tutto il mondo? Davvero mi sembra di non capire più il mondo che mi circonda, ma, e la cosa mi amareggia, di non capire più nemmeno le donne... (Carolina)

16

LE DONNE PARLANO

di Miriam Mafai

Generalmente parlando, è vero, le donne non amano e non praticano la violenza, tendono alla mediazione, sono più sensibili ai mali del mondo. Ma questo non esclude che esse siano anche in grado di fare la guerra, per lo meno molte di loro, per lo meno in determinate circostanze. Molti anni fa ho conosciuto in Urss una giovane signora, molto colta e con un'aria molto fragile, che mi raccontò tranquillamente di aver fatto, nel corso della Seconda guerra mondiale, il pilota di aerei da combattimento. In Israele le ragazze fanno il servizio militare esattamente come gli uomini. Nulla impedisce insomma alle donne di scegliere, se lo vogliono, la carriera militare. E' possibile (e io me lo auguro) che in futuro il nostro esercito venga impegnato soprattutto in operazioni di difesa civile, o di intervento umanitario per riportare la pace in alcuni di quei Paesi (vedi Somalia o Rwanda) dove sono in corso le orrende carneficine che tu denunci.

Grazia 9.10.1994

GLI STRANI DESIDERI DELLE DONNE SOLDATO

L'ALTRA metà del cielo d'Italia si vedrebbe volentieri con le stellette: per il 59 per cento, infatti, le donne «consiglierebbero» senz'altro a una cara amica di arruolarsi. Per fare cosa? Beh, il 70 per cento non si accontenterebbe della «retrovia» ma vorrebbe svolgere tutti i compiti, compreso – se necessario – quello di combattere. È quanto emerge da una ricerca effettuata per conto del «Centro Alti Studi della Difesa» da Rossella Savarese, docente di sociologia alla Federico II di Napoli, che ha lavorato su un campione «significativo» di 495 intervistate, comprese tra i 16 e 40 anni. Secondo i dati raccolti, a sconsigliare il servizio militare alle donne sono, quasi nel 50 per cento dei casi, gli obblighi familiari: soltanto il 14 per cento pensa che tale compito sia, per sua natura, prettamente maschile. Ma le conclusioni dell'indagine riservano una vera e propria sorpresa: perché una donna può desiderare di arruolarsi? Oltre l'80 per cento risponde: «Per essere utile». C'è di più: superano il 90 per cento le donne che indicano come compiti principali dell'esercito quelli di «salvaguardare l'ambiente, portare aiuti umanitari e assicurare la pace senza combattere».

Eco, Gennaio 1995

Io, donna e casco blu

Vivono in mezzo ai bombardamenti e agli orrori della Bosnia. Sono le soldatesse dell'Onu. Coraggiose. Forti. Decise. Più degli uomini

Giovani donne che dividono con i colleghi maschi la vita militare. E i pericoli, le fatiche, le responsabilità di una missione in un'area ad altissimo rischio. Senza privilegi né concessioni. Anzi. «Essere una donna a volte complica la situazione» dice il capitano Sharon Dulson, 27 anni, che ha deciso di intraprendere la carriera militare dopo la laurea in ingegneria. «La prima volta che sono stata messa a capo di 40 uomini ho faticato a impormi. Non mi prendevano sul serio: ho dovuto dimostrare di essere davvero brava prima di riuscire a metterli in riga. A un uomo - sono convinta - non sarebbe successo». Sharon ha deciso di diventare casco blu «affascinata dall'idea di lavorare nei punti caldi del mondo». Heidi si è arruolata «perché è importante aiutare chi ha bisogno. E per farlo poco importa essere uomo o donna».

Connie Gillespie

Nel campo di Spalato ogni giorno ci sono caschi blu che partono e altri che arrivano. Qui si effettua l'addestramento di chi è destinato in Bosnia. «Sappiamo che il rischio è da mettere in conto» dicono Carrie Sawty, 25 anni, e Haily Gaugen, 33, che per quattro mesi hanno prestato servizio come infermiere nella zona di Sarajevo. «L'importante è non farsi travolgere dalla paura. Tenerla distante, far finta di vivere una vita normale». Carrie e Haily ricordano le notti nei rifugi sotterranei: «lunghissime, eterne. Ma erano la devastazione e il dolore sui volti della gente, soprattutto dei bambini, a essere quasi insopportabili». Aggiunge Haily: «Non riesco a capirla, questa guerra. Non riesco a spiegarmi le ragioni di tanta ferocia, tanta violenza».

La lontananza da casa, dalla famiglia, dagli amici, è un prezzo a volte molto alto. Ma queste ragazze, scegliendo di diventare caschi blu, non hanno rinunciato ai loro affetti. Connie Gillespie, 26 anni, avvocato, a Spalato si occupa dell'ufficio legale. A gennaio sposerà un ufficiale dell'esercito conosciuto proprio in una missione nella ex Jugoslavia. «Avere gli stessi interessi agevola il nostro rapporto. Anche se, per ora, ci incontriamo in poche occasioni». Edward, il promesso sposo, ha lasciato Spalato nel marzo scorso e rientrerà a febbraio. Connie rimarrà in Croazia fino a dicembre, poi avrà una nuova destinazione.

Combattere la guerra: ecco il vero obiettivo

Donna Moderna, 16.11.1995

Anche le donne devono fare il servizio militare?

PRO

1. Escludere le donne dal servizio militare significa considerarle inferiori.
2. Ormai non si possono fare discriminazioni in nessun campo contro le donne.
3. Non è più accettabile lo stereotipo della donna debole fisicamente e solo "angelo del focolare".
4. In molti paesi le donne fanno il servizio militare (v. Israele) esattamente come gli uomini.
5. Le donne modificherebbero gli obiettivi dei militari da quelli aggressivi a quelli umanitari e di difesa civile.
6. Le donne "casco blu" dell'ONU sono la prova del coraggio e della forza femminile.
7. Nei paesi dove possono accedere alla carriera militare si fanno onore e sono rispettate da tutti.
8. La mancanza di rispetto nasce da vecchi pregiudizi.
9. Nel XX secolo le donne hanno dimostrato di essere combattenti coraggiose in molte battaglie.
10. Per le donne il servizio militare è un'occasione per combattere contro le guerre e per la pace.

CONTRO

1. Non potrebbero dedicarsi alla carriera militare: spesso hanno famiglie e figli da accudire.
2. La storia non ricorda gloriosi eserciti di donne, solo poche combattenti isolate.
3. Le donne, per loro natura, sono estranee alla violenza e a istinti bellicosi.
4. Biologicamente le donne sono meno aggressive. La vita militare non fa per loro.
5. Le donne hanno più sensibilità e senso comune, non potrebbero partecipare alle carneficine della guerra.
6. I maschi amano giocare alla lotta e alla guerra fin da piccoli.
7. La carriera militare è adatta per donne poco femminili.
8. Le donne non hanno abbastanza tempra e coraggio.
9. Crollerebbero ad ogni disagio. Non hanno né forza fisica né psicologica.
10. Non potrebbero guadagnare la stima e il rispetto dei loro subalterni.
11. Se il servizio militare non è volontario per gli uomini non è giusto che lo sia per le donne: o lo fanno tutte o nessuna!

17

Gli sport pericolosi dovrebbero essere aboliti?

Ayrton Senna a Imola (1989)

Sport killer, il più pericoloso è l'offshore

«In mare rischi tremendi. Auto e moto hanno fatto progressi ma vanno troppo forte»

Classifica di pericolosità degli sport motoristici: prima motonautica, seconda Formula 1, terzo motociclismo. A stilarla, con molti distinguo, è il professor Antonio Dal Monte, direttore dell'Istituto di scienza dello sport del Coni e presidente della commissione interfederale delle discipline motoristiche che oggi si riunirà a Roma — presenti il costruttore Dallara e i piloti De Cesaris, Pirro e Modena — per un'analisi sui temi della sicurezza. Un meeting già in agenda prima dei tragici fatti di Imola, ma reso di estrema attualità dal weekend di sangue sul circuito romagnolo. Premessa: «Il tema delle velocità — spiega Dal Monte — è il fondamento sul quale deve basarsi ogni tentativo di ridurre i rischi delle gare. In F.1 si sono fatti passi giganteschi in fatto di prevenzione, ma il problema è un altro: i progettisti sono andati ancora oltre in tema di prestazioni. Dunque il nocciolo della questione non è discutere dei «salvavita» di cui oggi una monoposto è imbottita, dalla cellula di sopravvivenza ai dispositivi per spegnere gli incendi, ma ripensare tutta la Formula 1 partendo proprio dal dato della velocità. Sarà lapalissiano, ma l'unica strada da percorrere è questa: ridurre le prestazioni, riportare insomma le macchine a misura d'uomo. Non è umano, oggi, pensare di filare a oltre trecento all'ora su un nastro d'asfalto, tenendo tra l'altro presente che gran parte dei circuiti dove si svolge la Formula 1 sono inadeguati. E allora l'unica via di uscita è questa: ripensare tutto lo sport motoristico, dalle formule minori in su, per ridare un senso alle corse in auto o in moto. Oggi come oggi, e l'esempio di Senna è davanti agli occhi di tutti, il pilota non può permettersi di commettere il benché minimo errore. Durante una gara si patiscono stress psicofisici immani, il rischio di un cedimento della concentrazione c'è sempre, e a 300 all'ora ciò vuol dire andare incontro a una morte sicura».

Offshore pericoloso: lo scafo di Casiraghi, morto nel '90

Il discorso s'allarga a tutto il mondo dei motori. Anche al motociclismo: «Oggi il pilota è superprotetto — aggiunge Dal Monte —. Tuta e casco gli costruiscono intorno una specie di cellula di sopravvivenza. E c'è il vantaggio, se di vantaggio si può parlare, che il rotolamento innescato da una caduta riduce l'energia cinetica di un corpo lanciato a una determinata velocità. Più ampio è lo spazio di fuga, maggiori possibilità ci sono di salvare la vita al pilota. Dunque nel motociclismo appare fondamentale il tema dei circuiti sicuri».

Il Corriere della Sera 4.5.1994

Un'onda anomala, un motoscafo che si mette di traverso: tragedia a Lecco durante una gara
Toto Caimi, 23enne nazionale di sci nautico, è spirato fra le braccia dei genitori. Era un figlio d'arte

Morte di un campione, sul suo lago

MILANO — Morire di sport a vent'anni, senz'altra colpa, senz'altra imprudenza della fiducia totale, sacrosanta, nell'acqua del «tuo» lago, quello in cui hai nuotato e sul quale hai volato sciando mille e una volta.

Pierantonio Caimi, ventitreenne di Vighizzolo — a pochi chilometri da Lecco — nazionale italiano di sci nautico, è morto così, ieri pomeriggio, sul lago di Como, il corpo straziato dall'urto contro la barca di un concorrente doppiato, messa di traverso dalla forza crudele di un'onda improvvisa, «anomala» la chiamano in gergo.

Nessuna possibilità di salvarlo, il ragazzo, deceduto in una manciata di secondi, l'arteria femorale recisa di netto. Solo più tardi, il suo corpo è stato trasportato in elicottero all'ospedale di Morbegno.

Tra i «lupi di lago», dirigenti sportivi e appassionati, nessuno si ricorda di un incidente tanto terribile, almeno per trent'anni addietro.

Pierantonio "Toto" Caimi

di Licia Granello, La Repubblica, 10.7.1995

Drammatico bilancio del gran premio di F1: due piloti deceduti, 4 meccanici feriti, spettatore grave

Processo alla corsa della morte

Tutti sotto choc per la tragedia di Senna. Scalfaro: paghi chi ha sbagliato, la gara doveva essere sospesa
Aperta un'inchiesta sul circuito di Imola. Niki Lauda accusa: queste competizioni non hanno senso

UNA FORMULA DA CAMBIARE

di GIANFRANCO TEOTINO

Fermate le corse assassine. L'invocazione si è levata in tutto il mondo civile dopo il tragico fine settimana di Imola. Persino dall'interno del pianeta Formula 1 sono salite voci perentorie come quella di Niki Lauda, il pilota che ebbe il coraggio di ammettere di avere paura: «Penso che oggi le gare non abbiano più senso».

Ancora angosciati e pieni di orrore per le concitate immagini di sangue e disperazione trasmesse e ritrasmesse dalla tv, cerchiamo i colpevoli: i dirigenti assetati di dollari, i tecnici imprevidenti, la pista insicura. Due morti in 24 ore e l'incredibile serie di brividi di contorno, rimasti per fortuna con minori conseguenze, sono un prezzo troppo alto da pagare allo show business, allo sport-spettacolo. Spegniamo dunque per un momento i motori e cerchiamo di creare le condizioni migliori perché siano riaccesi.

Certo, il rischio è in qualche modo connaturato alle corse di Formula 1. Fin dalla nascita. Gli archivi ci dicono che negli anni Cinquanta sono deceduti, in gara o in prova, sette piloti; negli anni Sessanta undici; negli anni Settanta ancora undici. E negli anni Ottanta quattro. Dal maggio 1986 fino a sabato scorso non si era registrato alcun incidente mortale.

Ayrton Senna

Non solo la Formula uno ma tutto il mondo è sotto choc per la tragedia di Imola: prima la morte del pilota austriaco Ratzenberger (sabato), poi quella di Ayrton Senna, il pilota brasiliano, tre volte campione del mondo, amato per il suo coraggio e per la sua simpatia. Il bilancio del gran premio di San Marino è tremendo: due piloti deceduti, quattro meccanici feriti, uno spettatore grave, senza contare il pauroso incidente a Barrichello, per fortuna senza conseguenze. Si è mosso anche il presidente della Repubblica Scalfaro. Durissimo il suo messaggio: «Paghi chi ha sbagliato, la corsa doveva essere sospesa».

Aperta un'inchiesta sul circuito, posto sotto sequestro, mentre montano le polemiche. Lauda: «Queste competizioni non hanno più senso».

Corriere della Sera 3.5.1994

«Questo è uno sport che purtroppo comporta dei rischi»

Romiti: «Non criminalizzate le corse»

ROMA — Dopo i tragici eventi di Imola, si è alzata una voce a parziale difesa della Formula 1: quella di Cesare Romiti, amministratore delegato della Fiat. «Ci vuole più sicurezza — ha detto al termine del direttivo della Confindustria — ma i due mortali incidenti che hanno coinvolto Senna e Ratzenberger non possono fermare le corse. Anche negli anni passati, quando sono morti piloti di valore, s'è detto di cambiare le regole, i circuiti e di moderare la velocità. Ma questo è uno sport che purtroppo comporta anche fatti del genere e quindi non deve essere assaltato. E' proprio la drammaticità dell'evento che fa esaltare i piloti».

Romiti ha aggiunto: «La reazione è stata aggravata dal fatto che Senna era il più grande del mondo e che da molti anni non si verificavano incidenti mortali. Ma la Formula 1 dà molto all'industria, ad esempio nella ricerca e nella sperimentazione. Mi auguro quindi che si prendano maggiori misure cautelative, ma senza criminalizzare il settore».

Corriere della Sera 5.5.1994

Gli sport pericolosi dovrebbero essere aboliti?

PRO

1. I progressi tecnici riguardanti la sicurezza non evitano del tutto tante tragedie.
2. Danno un cattivo esempio ai giovani: per imitare i piloti tanti ragazzi perdono la vita.
3. Sono sport inquinanti per l'ambiente.
4. Come si può chiamare sport un'attività in cui la macchina domina e il fisico umano non conta nulla?
5. Sono sport costosissimi in cui vige lo spreco di risorse e di combustibile.
6. I piloti li praticano solo per avidità di soldi e fama internazionale.
7. Lo spettacolo che questi sport offrono è noioso e ripetitivo.
8. Spesso i piloti sono costretti a gareggiare in situazioni poco affidabili dal punto di vista della sicurezza.
9. Vedere la morte in diretta non è educativo.
10. Solo le industrie del settore e gli sponsor traggono profitti dalle corse.

CONTRO

1. Automoblismo, motociclismo e motonautica offrono un grande spettacolo per il pubblico.
2. Sono sport emozionanti ed avvincenti.
3. I piloti danno massima prova delle loro abilità.
4. La tecnologia avanza con la ricerca in questi settori.
5. Importanti innovazioni tecnologiche vengono poi immesse nel mercato commerciale di auto, moto e barche.
6. Si stanno facendo grossi progressi in materia di sicurezza.
7. Tra qualche anno non ci saranno più pericoli.
8. Questi sport sono seguiti da milioni di spettatori appassionati.
9. Il brivido della velocità è una sensazione ineguagliabile.
10. È naturale che l'uomo cerchi sfide sempre più azzardate.

Bisogna chiudere l'ingresso agli extracomunitari?

Bimba rapinata da una zingara

BAMBINA rapinata da una zingara con un coltello. S.S., undici anni, ieri mattina, è stata aggredita mentre scendeva dall'autobus. La nomade, poi riuscita a scappare, aveva un coltello in mano ed ha portato via il borsellino della bambina, con dentro 10 mila lire e qualche biglietto del bus.

La bambina, appena arrivata a scuola e ancora sotto choc, ha raccontato tutto alla maestra.

La Repubblica 13.10.1995
Cronaca di Firenze

La linea 'dura' del prefetto

Il prefetto Francesco Berardino attacca la burocrazia che danneggia l'applicazione della legge sugli extracomunitari e promette che tutti i Rom illegali saranno espulsi dopo il ritorno di tre componenti del clan Bislimi al campo del Poderaccio. «Ho sempre detto che servono leggi certe e più precise. Ma andremo avanti: la legge può avere tempi lunghi, ma non ferma mai il suo corso». E la protesta crescente nei quartieri? «Vogliamo che la genti collabori con noi. Sono preoccupato di possibili fenomeni xenofobi».

La Nazione 16.10.1995

Sondaggio SWG
L'Espresso 1.10.1995

LA LEGGE NON È UGUALE PER TUTTI

Ho 20 anni e scrivo perché sono indignata di vivere in un Paese dove la legge non è uguale per tutti. Mi riferisco agli extracomunitari che vendono accendini, cianfrusaglie e imitazioni nei parcheggi e per le strade. Premetto che non sono razzista e che mi sono sempre sforzata di giudicare le persone per le loro azioni e non per il loro aspetto. Non mi sembra giusto che un comune cittadino debba ottenere e pagare costosissime licenze per poter vendere (anche da ambulante) e che invece queste persone possano farlo indisturbate al di fuori della legge. Non mi pare giusto che i finanzieri in borghese si piazzino fuori dai supermercati e dalle gelaterie per multare la massaia o il ragazzino senza scontrino, mentre gli extracomunitari vendono indisturbati. La legge, se c'è, deve valere per tutti, anche per chi non ha nulla e proviene da un Paese straniero.

Licia, Reggio Emilia

Gioia 4.11.1995

Discriminazione il mio colore sono io

Ci vivono accanto, ma la loro pelle fa ancora paura. Suscita diffidenza e sospetti. E loro? Gli extracomunitari ci tacciano di ignoranza. Di noi non sapete nulla, dicono. Orgogliosi di una diversità difficile **di Giovanna Vitale**

«Vorrei la pelle nera». Non è solo il ritornello di una vecchia canzone ma un desiderio comune a moltissime ragazze. Sempre che la pelle in questione sia quella di Naomi Campbell, top model color dell'ebano. Ma per i neri che non sono belli come lei o famosi come Carl Lewis, primatista di salto in lungo e ora ricercatissimo testimonial, il colore dell'epidermide è piuttosto una condanna. La loro storia difficilmente finirà sulle cronache mondane. «Nonostante la convivenza con la gente di colore diventi ogni giorno più stretta, nella nostra cultura "l'uomo nero" è tuttora visto come un pericolo», spiega il professor Alessandro Gindro, presidente dell'Istituto psicanalitico per le ricerche sociali di Roma. «È inquietante per l'inconscio di molte persone. Difficile che ci si avvicini agli extracomunitari senza pregiudizi, che si tratti di diffidarne o di subirne il fascino in maniera indiscriminata». A sentir loro, però, è un problema di ignoranza: «Alimenta il razzismo» si infervora Fidel Mbanga-Bauna, il primo giornalista di colore a condurre un tg regionale. «Chi ci apostrofa per strada solo perché siamo neri di solito non sa nulla della nostra cultura. Non gli interessa, perché non rispetta la diversità. Io, invece, sono talmente fiero di essere zairese che, pur vivendo in Italia da 22 anni, non ho mai pensato di cambiare cittadinanza».
Una diversità che continua a far paura: «I pericoli che i miei pazienti avvertono in presenza di persone di colore», racconta il professor Gindro, «sono le violenze sessuali da parte degli uomini e la trasmissione di malattie da parte delle donne». Vero, conferma Fidel: «Nei nostri confronti persistono tremendi pregiudizi: è negro, quindi un violentatore o un ladro». «Ci trattano in maniera diversa», sorride Jeanne d'Arc Umurerwa, ventiseienne del Burundi, infermiera. «Per strada mi sento osservata; gli uomini fanno apprezzamenti volgari, forse perché ormai la maggior parte delle prostitute sono di colore e pensano che anch'io lo sia; i miei amici vengono sottoposti a controlli severi, sia all'entrata dei locali che in questura». Ma lei, vorrebbe forse essere bianca? «Nemmeno per sogno», s'indispettisce. «Il colore della pelle significa le mie radici, la mia identità. Il mio colore sono io».

18

Bisogna chiudere l'ingresso agli extracomunitari?

PRO

1. Tolgono il lavoro ai cittadini del paese ospite.
2. Con la loro presenza è aumentata la prostituzione, la droga, gli stupri e la microcriminalità.
3. Sfruttano le loro donne e bambini ma non sono punibili perché vivono nella clandestinità.
4. Dovrebbero essere schedati con una tessera magnetica o con le impronte di mani e piedi.
5. Ormai il mercato è saturo: non ci sono più posti lavoro.
6. Senza occupazioni legali sono costretti a vivere fuori della legge e contro la legge.
7. Si rischia di affondare tutti invece di aiutarli.
8. Vanno aiutati con sussidi purché rimangano nei loro paesi d'origine.
9. Bisogna educarli culturalmente. È l'unica emancipazione.
10. Non si può fare i missionari mettendo a repentaglio la nostra sicurezza.
11. Portano malattie strane.
12. Non si risolve la questione con la demagogia e gli ideologismi: bisogna avere un piano in cui inserire la forza lavoro necessaria al paese.
13. Portano tradizioni, a volte crudeli, estranee alla nostra cultura.

CONTRO

1. Fanno lavori che nessuno vuole più svolgere.
2. Costano poco perché, pur di tirare avanti, lavorano spesso al nero.
3. Una società avanzata non può fare a meno di una integrazione multirazziale.
4. Le richieste di schedature sono sintomo di intolleranza e xenofobia.
5. Sono un elemento favorevole per l'economia perché costano meno di quel che rendono.
6. Si ammalano dei nostri virus per i quali non hanno difese senza aver diritto alla assistenza medica.
7. Sono le vittime dei rancori xenofobi e razzisti dei conservatori.
8. Molti, pur di rimanere onesti, svolgono mansioni pericolose e sottopagate.
9. Non si deve collegare gli extracomunitari con la microcriminalità.
10. Possiamo imparare da loro confrontando le nostre culture.
11. Nella crisi di valori della nostra società bisogna ritrovare la solidarietà e la tolleranza.
12. Nel nostro paese la maggior parte degli stupri è causata dagli uomini italiani e non da extracomunitari.

19

È lecito usare parole e immagini provocatorie nelle pubblicità?

Cartelloni shock. Con slogan aggressivi e nudi che molti trovano imbarazzanti. Alcuni cittadini protestano. Offesi o annoiati dalla volgarità. Ma anche i creativi hanno un sospetto: non vale più la pena

Un parere contro

Anna Maria Testa, titolare dell'agenzia Bozell, Testa, Pella, Rossetti, è moralmente contraria alle campagne che cercano lo scandalo. «I creativi» dice «conoscono perfettamente i meccanismi che scattano di fronte a una pubblicità aggressiva. E li usano per i loro scopi. Un cartellone con parole o immagini forti mette chi guarda di fronte a due alternative. Che comunque non lasciano scampo. Se ci si scandalizza e si protesta, si fa il gioco del pubblicitario: stampa e tv ne parleranno, nascerà il caso, e le vendite, probabilmente, aumenteranno. Se invece ci si censura, ci si fa violenza. Insomma, guardare un cartellone shock è come ricevere una martellata sul ginocchio: il riflesso condizionato scatta comunque. Trattenersi costa una gran fatica. Per alzare davvero le spalle di fronte alla volgarità bisognerebbe essere superman».

Donna Moderna 12.10.1

Le donne sono state punte sul vivo

Pubblicitari, attenti. Esporre nudi audaci e testi poco rispettosi del comune senso del pudore può costarvi caro. Ne sa qualcosa lo stilista americano Calvin Klein: la sua ultima campagna pubblicitaria con foto di adolescenti discinti gli ha attirato nientemeno che la scomunica del presidente Bill Clinton: «Quei giovani hanno l'età di mia figlia Chelsea. Mi disturberebbe vederla ritratta in quel modo». Risultato: cartelloni ritirati e pubbliche scuse dell'interessato. Scandalo e critiche anche per Oliviero Toscani, che nei giorni scorsi ha scelto le pagine di un quotidiano francese per la sua ultima immagine choc: un giovane ermafrodito ritratto nudo, attributi bene in vista. A chi lo accusa di provocazione gratuita, Toscani risponde come sempre con un'alzata di spalle: «Moralismo da strapazzo» commenta. «Tutte le mie foto sono provocatorie, certo. Perché infrangono tabù e costringono a pensare».

E in Italia? Le frontiere del pudore nostrano sembrano essersi attestate sulle fiancate dei tram. È qui infatti che la pubblicità più osé del momento è diventata di dominio pubblico. Parliamo di Surprise «il primo slip che alza e modella i glutei». Dal punto di vista fotografico il cartellone non avrebbe niente di eccessivo: un fondoschiena formoso e assolutamente coperto. È il testo che colpisce: «Culo basso, bye, bye!». Lo slogan incriminato, firmato dall'agenzia Sistema di Bergamo, campeggia sui mezzi pubblici di mezza Italia. E ha ottenuto l'effetto sperato: far parlare di sé. Perché le proteste sono state molte. A Torino l'azienda municipale di trasporti ne ha ricevuto «a decine, in gran maggioranza di donne». Cittadine che chiedevano se era proprio necessario ospitare «una tale sconcezza su un tram». «Non ci aspettavamo tanto clamore» giura Antonio Filisetti, dell'agenzia Sistema. «In fondo abbiamo adoperato una parola usata persino dai bambini». Che cosa si nasconde allora dietro tante proteste? Gli italiani si scoprono più moralisti d'un tempo? O sono saturi di volgarità?

Donna Moderna 12.10.1995

Un popolo di maiali?

"Washington Post" accusa. Italiani rispondono

Gli italiani un popolo di maiali? Lo scrive l'autorevole "Washington Post", quello del Watergate. E pensa a Benigni che fa la pipì, Casini nudo, Vialli come l'ha fatto mamma, lo spot della Martini, l'indiano nudo di Valentino. Provocazione d'estate o cruda verità?

Ma perché quest'ondata di nudo? Agli italiani basta guardare? «La verità è che gli italiani hanno un rapporto sereno con il proprio corpo», taglia corto **Tinto Brass**.

Dal suo punto di vista, gli italiani mostrano solo della sana esuberanza e del sano entusiasmo. «Noi siamo meno complessati di altri popoli. Anche perché abbiamo una grande invenzione, l'immunità peccatoria: la confessione. Possiamo peccare e poi pentirci. Guardare una bella donna nuda in un film, su un giornale, in tivù, è liberatorio e distrae dai problemi e dai pensieri spiacevoli».

19

IL NUDO? «COME LA FRUTTA». Si difende con vigore Elio Fiorucci, che non fa mistero di essere un estimatore del gluteo croccante, meglio se nel fiore dell'adolescenza.

«Io sono sempre stato contro ogni censura», dice Fiorucci: «La vergogna del corpo umano è un tabù che la società italiana sta superando. La nostra curiosità per il corpo dell'altro, e penso a Toscani, è più che legittima. Quanto al nudo acerbo, adolescente, lo dico senza problemi: mi mette di buon umore. Le manette di pelouche sul sedere nudo sono un'idea alla Duchamp, più giocosa che trasgressiva». E sul fatto che l'acerbo, l'ambiguo, l'androgino ricorrono con frequenza nella comunicazione visiva, Fiorucci fa la seguente considerazione: «C'è una parte dell'uomo che ricerca lo stato nascente, così come un'altra parte si riconosce in ciò che è maturo. Scoprire l'androgino, ammirare l'adolescente: io non me ne vergogno. Che cos'è una ragazza nuda di quindici anni se non un inno alla gioia? Il nudo è come la frutta: non stanca mai».

EVVIVA, È CADUTO L'ULTIMO TABÙ

di Ida Magli

Consoliamoci. Ci tocca parlare ancora una volta di sederi, ma forse siamo giunti agli ultimi passi prima di uscire dal tunnel. Del sesso, della ricerca del sesso nel corpo e come corpo, non se ne può proprio più. Ma che l'argomento stia per esaurirsi lo si capisce dal fatto che il corpo umano è limitato, e il sedere era l'unica parte rimasta priva di eccessivo sfruttamento (almeno a livello esplicito: implicitamente, invece, la moda ha sempre cercato di mettere in rilievo, con fiocchi e posticci, il didietro femminile), a causa della sua associazione negativa con le feci. Del resto, il segnale della prossima fine l'avevano già dato gli stilisti, quando hanno presentato il "nudo" come capo di abbigliamento. Era diventato evidente allora che non c'erano più strade sulle quali camminare: l'immaginazione, la fantasia, il desiderio d'infinito muoiono nel momento stesso in cui la loro speranza di appagamento coincide con il reale. Il concreto uccide il simbolico.

La pubblicità degli slip Roberta su un autobus romano dopo la censura

Ma l'uomo non riesce a vivere senza la libertà di pensare, di immaginare, di sognare; senza desiderare al di là di una meta, quindi al di là del reale. Per questo l'esaltazione dei sederi è buon segno. I pubblicitari hanno bruciato, nella campagna dei sederi, le loro ultime cartucce, e presto si renderanno conto di trovarsi davanti a un muro: senza allusioni a desideri che non potranno essere appagati mai, la sessualità non funziona, e la pubblicità non ha più ragione di esistere. Per questo torneranno indietro. Abbandoneranno il concreto, il corpo, il nudo, il sedere nella sua bruta realtà, e ricominceranno a battere la strada del desiderio immaginario, oscuro, inconsapevole.

È lecito usare parole e immagini provocatorie nelle pubblicità?

PRO

1. Infrangono i tabù.
2. La pubblicità provocatoria fa ragionare e maturare: è assurdo censurarla.
3. Non capire le provocazioni dei pubblicitari è sintomo di un moralismo da strapazzo.
4. Gli Stati Uniti danno un cattivo esempio di un puritanesimo obsoleto.
5. La pubblicità che usa temi sociali rende un servizio ai cittadini.
6. L'obiettivo è far parlare di sé e basta: inutile cercare messaggi sofisticati.
7. Con lo scandalo e le proteste si fa il gioco dei pubblicitari.
8. Parole forti e scritte "blasfeme" vanno prese con ironia, non con un eccessivo perbenismo.
9. Non accettare il nudo è sintomo di immaturità.
10. Molte sono foto d'arte da non confondere con la pornografia.
11. Molte donne lavorano come pubblicitarie: l'uso che fanno del nudo è ironico nei confronti dell'uomo.

CONTRO

1. I cittadini sono saturi di volgarità.
2. I pubblicitari cercano solo lo scandalo per far parlare di sé.
3. Sono diseducative per i più giovani.
4. Esaltano la donna oggetto e stimolano il voyeurismo collettivo.
5. Andrebbero messe solo su riviste per adulti.
6. Il pubblico preferisce gli spot ironici e non volgari.
7. Non è giusto dover subire la violenza e l'aggressività dei pubblicitari. La protesta è inevitabile!
8. È assurdo usare temi sociali per biechi fini di profitto.
9. Le pubblicità che usano toni blasfemi e dissacranti sono offensive e diseducative.
10. Usare le donne sexy è uno stereotipo che ormai ha stancato i più e piace solo agli uomini immaturi.
11. Molte pubblicità sono legate alla pornografia.
12. Per vendere un prodotto è più convincente un volto comune che una donna sexy.
13. Abusare di donne nude è controproducente per le industrie: il consumatore si ricorda il nudo e non il prodotto.
14. Esagerare con l'uso di donne sexy nelle pubblicità è tipico dei paesi latini.

20

È nato l'uomo oggetto?

MA ALLE DONNE PIACE BELLO?

Uomini che usano il "fisico" per arrivare al successo. Sono loro i nuovi "oggetti sessuali"?

Muscoli, tatuaggi, sorrisi ammiccanti, sfoggio di arti marziali e ancheggiamenti a "colpi di bacino", stile aggiornato dell'ormai storico John Travolta e del "jurassico" Presley, praticamente un nonno, ai suoi tempi battezzato "Elvis the pelvis". Ce l'hanno messa tutta, i venti finalisti del concorso "Il + bello d'Italia 1995", al Palazzetto dello Sport di Alassio, per far colpo sulle signore della giuria. Ognuno doveva prodursi in una sua piccola performance, e rispondere al fatidico quesito. "Qual è il tuo sogno nel cassetto?". Fra risate e batticuore, i fustacchioni dichiaravano di non sentirsi affatto scaduti a livello di uomini oggetto. «Vogliamo o non vogliamo la parità?», dice semiserio Gianluca Casalino, rappresentante del Piemonte, prima di esibirsi in un numero di cabaret. «E allora dobbiamo fare esattamente come le miss».

Le signore della giuria, interrogate dalle presentatrici Fabrizia Carminati e Cristina Carbotti, sulla bellezza maschile e su quanto sia importante per un uomo essere bello, davano giudizi del tutto contrastanti.

«A me interessa soprattutto che sia buono e intelligente», è stata la tesi di Agostina Belli, presidente della giuria. A lei si contrapponeva l'ammiccante Carmen Di Pietro, giurata ipersexy, che, sguardo di fuoco, seno debordante, affermava, per il rispetto della censura: «Non posso dire ciò che mi ha colpito di più nei concorrenti».

Bello d'Italia a parte, si può dire veramente che anche per l'uomo, come è sempre stato per le donne, la bellezza rappresenta la chiave del successo?

Gioia 9.9.1995

Vanità anni Novanta/Il nuovo narcisismo dell'uomo

Pavonissimo

Ritocchi ai fianchi e alla pancetta, mèche al torace, regolare pulizia del viso. Il maschio non si vergogna più. Ed è subito business.

Il professionista cinquantenne è seduto nella sala d'attesa di un noto parrucchiere da uomo. Aspetta di tagliarsi i capelli? Nient'affatto. Farà la tintura del torace, per evitare di esibire sulle spiagge un busto canuto da Ulisse invecchiato, rifinirà la depilazione a ceretta delle spalle, troppo lussureggianti, e, come fa ogni 40 giorni, offrirà all'estetista il suo maschio volto per la pulizia del viso. Vicino a lui, assorto nella lettura di un giallo, un signore più giovane aspetta di fare «un giro di lampada» per poi accomodarsi nella cabina per la seduta di manicure. Perché mostrare, infatti, durante il consiglio d'amministrazione, delle unghie da «antenato»? Quella descritta non è una scenetta rubata in un centro estetico di Rodeo Drive, a Beverly Hills, Los Angeles. Si tratta di uno sketch di ordinaria amministrazione nelle grandi città italiane. Il maschio pavone infatti, sempre più innamorato del suo aspetto, è una specie in espansione.

Panorama 6.8.1994

1 Aggressiva, sexy, forte: è la donna la vera cacciatrice

Le donne sono diventate molto più intraprendenti. In spiaggia, in discoteca o persino in ufficio sono loro che, sempre più spesso, fanno la prima mossa. La filosofia delle nuova conquistatrice è semplice: lui mi piace e glielo dico. Nessuno si scandalizza più (almeno in teoria) se è da lei che parte l'invito per una cena a lume di candela o per una romantica passeggiata. L'ultimo sondaggio Cirm (Centro ricerche demografiche) conferma: più di un terzo degli uomini italiani si sente sedotto. E le donne lo ammettono: una su tre si riconosce nel ruolo di cacciatrice.
«D'altra parte non c'è niente di strano: sono cambiati soltanto i codici di comportamento nei rapporti amorosi», commenta il sociologo Sabino Acquaviva. «Anche in passato le donne hanno sempre scelto il partner, ma manovravano nell'ombra per attirare la sua attenzione, poiché era sconveniente fare il primo passo. Oggi le cose sono diverse, non c'è scandalo se una donna manda un messaggio più evidente in campo sentimentale».
Ma come nasce la nuova intraprendenza femminile? «Maggior disponibilità economica, autonomia esistenzale e controllo della contraccezione sono gli strumenti che hanno dato alle donne la possibilità di non dipendere da un uomo», è l'opinione della sessuologa Alessandra Graziottin.
«Se le donne hanno il potere economico, sociale e politico, si comportano esattamente come gli uomini, anche nella sfera sessuale», commenta il socio-sessuologo Dino Cafaro.
Basta dare un'occhiata agli annunci sui giornali per capire che molte donne, giovani e non, cercano accompagnatori a pagamento. Ma non sempre è una questione di sesso, talvolta al ragazzo «affittato» per una serata si chiede solo di essere accompagnate al ristorante, giusto per stare in compagnia esibendo una bella preda. Anche in questo caso le donne non hanno inventato nulla, che già gli uomini non facciano: hostess-bella presenza allietano da sempre le serate dei manager in libera uscita.

Donna Oggi 10.8.1995

IL NOSTRO SONDAGGIO

Sei mai stato molestato da una donna? Per fortuna no 80%

PHOTOMOVIE

80,2 %	no	per fortuna, e spero mai
12,1	no	purtroppo
2,9	sì	e mi ha fatto piacere
1,4	sì	e mi sono trovato in imbarazzo
3,4		non rispondo

David Papa, 32 anni, voleva fare carriera. Ma non era disposto a tollerare le provocazioni della sua direttrice, Beth Carrier, 36. La signora lo molestava apertamente. Proprio come faceva Demi Moore con Michael Douglas nel film *Rivelazioni* (nella foto). E il giudice di Tampa, Florida, ha dato ragione all'uomo, che era stato licenziato per non aver ceduto alle voglie della donna. L'azienda ora deve risarcire con 380 milioni di lire. Un caso solo americano? Abbiamo chiesto, con un sondaggio dell'Swg di Trieste, a 100 uomini italiani se abbiano mai subito molestie sessuali da una donna. Sopra, le risposte.

Donna Moderna 7.12.1995

20

È nato l'uomo oggetto?

PRO

1. È una tendenza che cresce parallelamente alla liberazione della donna.
2. Gli uomini sono sempre più aggrediti da donne audaci e disinibite.
3. La donna è diventata intraprendente: ama il ruolo della conquistatrice.
4. Il fisico maschile è sempre più usato per arrivare al successo.
5. Il nudo maschile è molto diffuso nelle nuove pubblicità.
6. L'uomo è sempre più narcisista: fa diete, palestra, frequenta i saloni di bellezza.
7. La chirurgia plastica è sempre più diffusa tra gli uomini.
8. I concorsi di bellezza riservati agli uomini sono piuttosto diffusi.
9. Il narcisismo è inevitabile in una cultura dominata dalle immagini.
10. Le statistiche lo confermano: più di un terzo degli uomini italiani si sente sedotto.
11. Tra le donne, una su tre si sente cacciatrice.
12. Oggi la donna è aggressiva, sexy e forte: è una miscela esplosiva.

CONTRO

1. Anche se oggi le donne sono più libere, non si può parlare di "uomo oggetto".
2. Purtroppo l'uso del nudo femminile per fini commerciali è ancora dominante.
3. Alla fine sono solo le donne a subire le violenze fisiche.
4. I dati sulla prostituzione parlano da soli: sono le donne ad essere sfruttate in questa società.
5. Il vittimismo di uomini "sedotti e abbandonati" non convince nessuno.
6. La donna che molesta e arriva a violentare l'uomo è un'invenzione cinematografica.
7. Film come *Attrazione fatale* e *Rivelazioni* propongono personaggi femminili che sono offensivi per la maggioranza delle donne.
8. Il narcisismo maschile (saloni di bellezza, palestre ecc.) è un lusso che non tutti possono permettersi.
9. La donna seduttrice rischia di ripetere il cliché dell'uomo macho: è assurdo imitare comportamenti criticati per anni.
10. Al giorno d'oggi c'è la tendenza al collezionismo in tutti i campi: anche nella seduzione e da parte di ambedue i sessi.
11. Da sempre, in fondo, è stata la donna a scegliere il suo partner, solo che prima era sconveniente fare il primo passo.

Bisogna chiudere tutti gli zoo del mondo?

TIGRE A RISCHIO E' AFRODISIACA

La tigre, che qualche anno fa era arrivata a un pericolosissimo punto di imminente estinzione e venne salvata da una delle più riuscite azioni di questo genere, "Operation Tiger", del Wwf, è di nuovo minacciata dai cacciatori in India, Tailandia e Birmania, addirittura nelle riserve istituite per proteggerla. Gli esperti valutano che centinaia di tigri siano state uccise negli ultimi 2 anni, e che ne rimangano soltanto 6000. Alcuni animali sono cacciati per le ossa, che vengono contrabbandate in Cina e usate per farne medicinali e preparati afrodisiaci. Tale traffico è stato intercettato due volte quest'anno. Scoperto anche un traffico tra le comunità cinesi che vivono in Occidente: un "lotto" di tigri del valore di 4 milioni ciascuna, è stato confiscato al confine tra Francia e Lussemburgo.

La caccia alla tigre, dopo una moratoria di alcuni anni, è ripresa in modo indiscriminato.

Sintesi

La Nuova Ecologia 9.91

ANIMALI OLTRE LE SBARRE

Succede ancora che alcune scolaresche vengano portate a visitare gli zoo, strutture contestate dagli animalisti e in molti casi anche dai naturalisti. "Non ha senso vedere gli animali in gabbia e senza nessuno che ti sappia spiegare seriamente il loro comportamento" dice persino Renato Massa, etologo dell'Università di Milano, strenuo antianimalista, amico dei cacciatori e noto per aver difeso lo zoo di Milano durante la polemica che portò poi alla sua chiusura. Le motivazioni a favore dello zoo di questo ricercatore erano però basate sulle finalità di conservazione e studio. "I vecchi zoo come raccolte di animali sono indefinibili - spiega Massa - e in più c'è il problema della preparazione degli insegnanti".

Dieci anni fa il grande etologo inglese Desmond Morris, ex responsabile della cura dei mammiferi dello zoo londinese, già affermava: "L'attuale struttura dello zoo è superata. Se vogliamo rinchiudere un animale in una gabbia dobbiamo almeno dargli qualcosa in cambio... un ambiente stimolante e la compagnia dei suoi simili. Non possiamo confinarli dietro le sbarre e abbandonarli al loro destino". Ma anche vedere gli animali liberi, nel loro ambiente, non è detto che sia sempre una cosa buona: "Dipende dal contesto educativo - dice ancora Renato Massa - ho visto in Africa gente sghignazzare davanti agli ippopotami, li trovava solo buffi, o addirittura vedendo una gazzella sbranata dai licaoni".

Maurizio Cornelli, il veterinario della Scivac (Società culturale italiana dei veterinari per animali da compagnia) responsabile del settore educazione, è drastico: "Gli zoo classici, quelli con le gabbie, vanno chiusi. I parchi safari, anche se non sono l'ideale, sono tollerabili se si cerca di ricreare delle situazioni il più possibile vicine a quelle naturali. Dipende dalle dimensioni, dalla serietà di chi li gestisce e dall'impostazione educativa. Se sono finti parchi, con gli animali solo in funzione di richiamo, non sono accettabili". Anche per Cornelli è importante il modo in cui la gente si avvicina agli animali, che non è necessariamente positivo neanche nei parchi naturali: "Tutti sono armati di cinepresa e dunque vogliono scene in movimento; se gli animali stanno fermi, invece di rispettarli, si sbracciano o tirano sassi.

Più disponibile è Giovanni Cavadi, responsabile del Centro di psicologia clinica e psicoterapia dell'Usl 41 di Brescia, ma non verso gli zoo con le gabbie "che mostrano gli animali in condizioni alterate, con i comportamenti di un carcerato". Sono accettabili invece per Cavadi zoo safari spaziosi, con animali adatti al contesto naturale. L'ideale sarebbero però dei parchi come quelli urbani inglesi, con gli animali liberi, ma semidomestici e confidenti con l'uomo, dove "anatre, oche e scoiattoli ti vengono vicino e ti chiedono da mangiare".

Non sono solo gli animalisti a sostenere che i bambini non devono essere portati a visitare gli animali in gabbia negli zoo. L'ideale sarebbero i parchi urbani sul modello inglese.

La Nuova Ecologia 4.93

Legame denso di significati simbolici e affettivi. "Il rapporto con gli animali non è razionale - spiega la psicoanalista Bellisario - è emotivo, diretto, basato sulla vicinanza, sull'affettività e la corporeità. Tutte categorie che sfuggono alla categorizzazione del pensiero". "Il rapporto con gli animali è un'esigenza vitale" aggiunge anche Daniele Lenti, dell'Istituto di psicologia dell'Università di Milano. Qualcosa di diverso e di più ricco della conoscenza naturalistica dunque, di cui comunque gli animali domestici sono eccellenti mediatori. Konrad Lorenz infatti li definiva "un ponte verso la natura".

La Nuova Ecologia - 4.1993

Il legame con gli animali è denso di significati simbolici e affettivi. Si tratta di un rapporto non razionale, spiegano gli psicologi, ma emotivo e diretto. Una esigenza vitale che Konrad Lorenz definiva "un ponte verso la natura".

Bisogna chiudere tutti gli zoo del mondo?

PRO

1. È egoistico far soffrire un animale solo per poterlo ammirare.
2. Non è educativo vedere un animale chiuso in gabbia come un carcerato.
3. Gli animali perdono i loro comportamenti ed abitudini naturali.
4. Si altera il loro ciclo biologico e procreativo.
5. Va rispettata l'esigenza degli animali di vivere in compagnia dei loro simili all'interno di un ambiente stimolante.
6. Gli insegnanti delle scuole non hanno la preparazione per spiegare il comportamento degli animali agli studenti frequentatori degli zoo.
7. I parchi safari sono accettabili quando riproducono l'ambiente naturale delle specie contenute.
8. Con la tecnologia multimediale è possibile vedere animali e le loro abitudini senza doverli chiudere in gabbia.
9. Tenere un animale in gabbia crea "giochi di dominio" nocivi per l'animale e anche poco educativi come modello da proporre ai giovani visitatori.
10. L'idea antropocentrica di avere a nostra disposizione un animale da ammirare è totalmente errata.
11. Sono accettabili solo i parchi dove animali semidomestici si avvicinano all'uomo.

CONTRO

1. Negli zoo si possono ammirare specie animali che altrimenti non si potrebbero mai osservare.
2. L'incontro con gli animali è essenziale perché è emotivo e diretto.
3. Il contatto con gli animali coinvolge la sfera dell'affettività e non della razionalità: è liberatorio ed educativo.
4. Negli zoo si possono studiare le specie animali e fare ricerche per il loro benessere e anche per quello dell'uomo.
5. Si possono proteggere animali esotici dai pericoli del loro ambiente naturale sempre più minacciato da cacciatori, bracconieri e mancanza di cibo.
6. Si possono curare gli animali, vaccinarli, aiutarli nella procreazione e nutrirli in modo scientifico.
7. Visitare uno zoo con un etologo può essere altamente educativo per tutti.
8. Gli animali abituati a vivere in cattività non potrebbero più abitare nel loro ambiente originario.
9. Anche in Africa molti turisti visitano i parchi safari senza rispettare gli animali ma solo per cercare azioni da fotografare. Bisogna rieducare i visitatori.

Si può vivere al giorno d'oggi senza Internet?

Nuove dipendenze

QUANDO **INTERNET** DIVENTA UNA DROGA

Video-dipendenti? Il pericolo sembra reale, almeno a giudicare dalle testimonianze degli esperti americani e inglesi che parlano appunto di "Internet addiction". In sostanza, una vera e propria forma di assuefazione alla rete telematica. I ricercatori segnalano casi limite di persone rimaste collegate alla rete per 30 ore consecutive, di coppie che litigano e divorziano via Internet pur vivendo sotto lo stesso tetto. Queste circostanze hanno fatto scattare l'allarme e parlare di perdita della realtà. Nei casi più gravi di distruzione dei rapporti sociali. Ma, pragmatici come sempre, gli americani hanno già trovato un rimedio, ovviamente virtuale: si tratta di una sorta di clinica via Internet, "Recovery", che distribuisce consigli su come disintossicarsi. Per esempio? Fare cose concrete, come attività manuali che permettano di vedere subito dei risultati tangibili: dipingere, dedicarsi al giardinaggio, suonare uno strumento musicale sarebbero buone ancore di salvezza. Da alternare a fitness, passeggiate e altri sport.

D - La Repubblica delle Donne 21.5.1996

I pirati informatici hanno violato anche l'Istituto di Fisica nucleare, lasciando un messaggio: "I vostri nemici saranno i monitor"

ROMA — La «Falange armata» ha annunciato ieri di aver violato i computer della Banca d'Italia e dell'Istituto nazionale di Fisica nucleare. In quest'ultimo elaboratore, i pirati informatici hanno lasciato un lungo messaggio in cui promettono nuove azioni di questo tipo: «I vostri nuovi nemici saranno i monitor». A dicembre dello scorso anno, l'organizzazione eversiva aveva «cancellato» l'archivio elettronico dell'agenzia di stampa Adn-Kronos. L'assalto informatico non è stato confermato da Bankitalia, ma ieri il computer collegato ad Internet è stato precipitosamente spento, mentre quello dell'Istituto di fisica nucleare, fino a sera, era ancora accessibile con la chiave d'accesso inserita dai pirati. Il giudice Pietro Saviotti: «Non abbiamo certezze che sia stata la Falange armata».

La Repubblica 1.10.1995

La pin up è on line

PER PRIMI SI SONO MOSSI BUONtemponi e pornomani di ogni risma, inondando Internet, la madre di tutte le autostrade informatiche, con immagini senza veli e senza freni. Imparata la lezione e capite le potenzialità di questo immenso villaggio elettronico, ora sono scese in campo "Playboy" e "Penthouse", storiche riviste per soli uomini. Anche i due mensili hanno deciso di viaggiare sulle autostrade del futuro. Naturalmente a modo loro, e cioè con vagonate di foto di coniglietta e playmate, nude, prone o supine, con grande sfoggio di grandi seni e di rotondi sederi.

Così Internet sta diventando sempre più un enorme peep show virtuale, più affollato e a buon mercato di quelli reali di Times Square. E il tutto è improntato allo spirito che ha decretato il clamoroso successo della rete: ovvero, nessun controllo e massima libertà.

22

L'Internet?

Bah!

Dopo due decenni passati *on-line*, sono perplesso.
Non che non mi sia divertito un mondo con l'Internet: ho incontrato gente simpaticissima, e ho perfino individuato un paio di *hacker*. Ma oggi mi sento a disagio di fronte alla moda e alle esagerazioni. Ovunque appaiono sognatori che vedono un futuro popolato da lavoratori telependolari, da biblioteche interattive e da classi scolastiche multimediali. Parlano di assemblee cittadine elettroniche e di comunità virtuali. Il commercio e gli affari si sposteranno dagli uffici e dagli ipermercati ai network e ai modem. E la libertà delle reti digitali renderà più democratico il sistema politico.
Fesserie. Ma questi guru del computer non sanno proprio cosa sia il buon senso? La verità è che nessuna banca dati *online* può sostituire il vostro giornale quotidiano, nessun CD-Rom può rimpiazzare un insegnante competente e nessuna rete di computer riuscirà a cambiare il funzionamento attuale del governo.
Ogni voce può farsi sentire istantaneamente e a costo zero. La cacofonia che ne risulta è analoga a quella delle radio CB, con tanto di insulti, molestie e minacce anonime. Quando tutti gridano, sono pochi quelli che ascoltano. E l'editoria elettronica? Provate a leggere un libro su disco: nella migliore delle ipotesi è un impegno fastidioso, con il lampeggiare miope di uno schermo ronzante di computer al posto delle gradevoli pagine di un libro. E provate a portarvi quel 'portatile' in spiaggia per leggere sotto l'ombrellone!

Poi ci sono quelli che spingono perché si usi il computer a scuola. Ci dicono che il *multimedia* renderà facili e divertenti i compiti. Gli studenti saranno felici di imparare da personaggi animati e da software progettato all'uopo dai migliori esperti. Perché pagare docenti in carne e ossa, quando l'insegnamento lo possono dare i computer? Bah. Questi costosi giocattoli sono difficili da usare in classe, e richiedono un sacco di formazione per gli insegnanti. Certo, i bambini adorano i videogiochi; ma pensate alla vostra esperienza personale: vi ricordate anche un solo filmato educativo visto decenni fa? Scommetto che, invece, vi ricordate benissimo dei due o tre insegnanti d'eccezione che hanno cambiato la vostra vita.
Anche se ci fosse un sistema affidabile per scambiare denaro via Internet – e non ce n'è ancora uno – al *network* manca uno degli elementi più essenziali del capitalismo: il venditore.
Che cosa manca in questo Paese delle Meraviglie elettronico? Il contatto umano. Non fatevi ingannare dalla retorica imperante sulle comunità virtuali: i computer e le reti ci isolano gli uni dagli altri. Una *chat line* in rete è un penoso surrogato del caffè preso con gli amici. Nessun programma multimediale interattivo trasmette l'emozione di un concerto dal vivo. E chi preferirebbe il cybersesso all'alternativa convenzionale?

Multi Media n. 21, 1995

Internet da ricchi

Roba da ricchi. La rete di computer Internet vive uno strano paradosso: potenzialmente mette a disposizione di tutti un mezzo di comunicazione aperto e a basso costo, e proprio per questo molti vedono in essa uno strumento della democrazia, la quale, infatti, prospera quando le informazioni circolano e, ancora di più, quando molti possono essere fonte di notizie e di opinioni. Tuttavia l'essere in rete richiede qualche milione di investimento, diverse centinaia di migliaia di lire in abbonamenti e scatti telefonici, e qualche base tecnica. Non stupisce dunque il fatto che tutti i sondaggi effettuati rivelino una popolazione in prevalenza maschile (pur se donne e minoranze risultano più presenti di prima, almeno negli Stati Uniti), di alto reddito e istruita, concentrata in buona misura nel nord del mondo.

Si può vivere al giorno d'oggi senza Internet?

PRO

1. La posta elettronica che arriva in tempo reale è insostituibile.
2. Si possono consultare i cittadini su scelte politiche via computer.
3. Permette di comunicare con i milioni di abbonati sparsi sul globo.
4. Con il costo di una telefonata locale ci si può collegare con il mondo.
5. Il ricercatore di ogni campo può mettersi in contatto ed aggiornarsi con tutti i centri scientifici e le biblioteche del mondo.
6. La solitudine dell'uso e il costo d'installazione possono essere superati nei *cybercafè*, nuovi locali aperti a tutti.
7. Il giornale elettronico (tablet) sarà presto una creatura interattiva e costantemente aggiornata che si potrà usare ovunque.
8. L'interattività è la qualità superiore dei CD-Rom rispetto ai testi stampati su carta.
9. Molti giovani studenti sono più stimolati da un CD-Rom che da un libro o da un insegnante noioso.
10. Internet offre molte possibilità di lavoro nel settore informatico.
11. Si può fare business su Internet senza avere alti costi di gestione.
12. È uno strumento utilissimo di cui non bisogna abusare.

CONTRO

1. Internet raccoglie un insieme di stupidi messaggi senza senso scritti da persone che non sanno come passare il tempo.
2. Nessuna banca dati *online* può sostituire un giornale.
3. Non c'è CD-Rom che possa sostituire la didattica e il carisma di un insegnante.
4. Un libro, o un giornale di carta, è molto più comodo di un computer portatile.
5. È troppo costoso per essere usato nelle scuole invece degli insegnanti.
6. Non si può fare business senza un venditore in carne ed ossa.
7. I pirati informatici possono entrare in importanti sistemi ed alterarne dati e comandi. È pericoloso per la società.
8. Navigare nella realtà virtuale può provocare danni fisici a ragazzi giovani.
9. Internet genera dei mostri frustrati che passano ore da soli davanti allo schermo.
10. C'è troppo bombardamento di immagini. Non stimola la riflessione.
11. La Rete si sta popolando di perversi del sesso, maniaci e feticisti.
12. Può essere usata per propaganda politica di gruppi pericolosi.
13. Ci dovrebbe essere un controllo governativo per frenarne gli abusi.
14. Per usare Internet bisogna avere costosi computer e software: è un lusso per i privilegiati del mondo industriale. Nei paesi poveri non è ancora diffusa.

L'eutanasia è un reato?

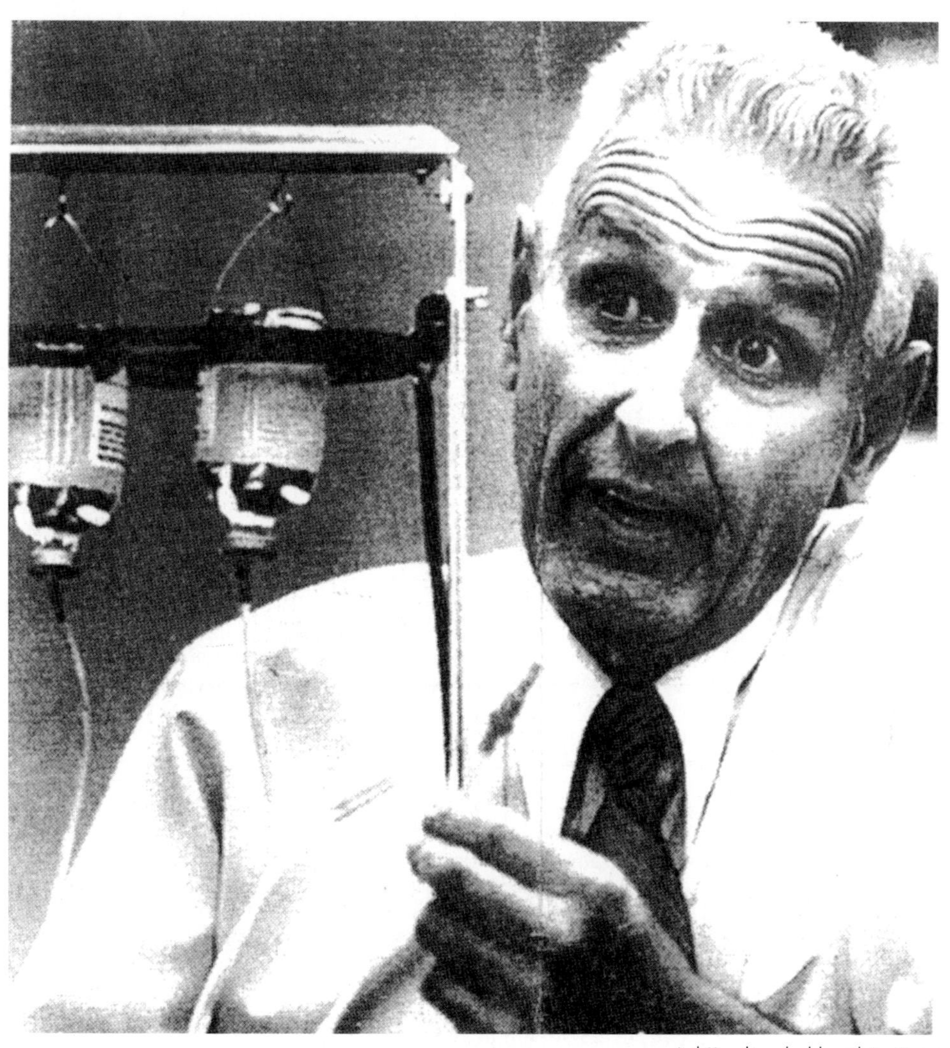

Jack Kevorkian, il celebre «dottor Morte»

“Ma in Italia l’eutanasia non funzionerebbe Ecco perché”

“In un sistema sanitario carente questa pratica potrebbe tradursi in una sorta di genocidio: via i vecchi, via i dementi, via i drogati”

«IO sono un dottore che pratica l’eutanasia. Ho aiutato i miei pazienti ad uccidersi e lo rifarò. Ma ho paura di un’eutanasia in Italia. Ho paura di pazienti costretti a dover subire l’eutanasia perché non hanno altra scelta, non hanno assistenza, non possono contare su un medico, su una struttura ospedaliera, su tutto l’aiuto di cui hanno bisogno. Da noi in Olanda l’eutanasia è stata depenalizzata, il medico che la esegue non viene più condannato, ma l’idea di esportarla in altri paesi, in tessuti sociali troppo diversi e incompatibili dal nostro, mi mette i brividi. Ho paura che l’eutanasia in Italia voglia dire via i vecchi che d’estate non si sa mai dove metterli, via i condannati alle lunghe degenze che rubano i letti, via gli scemi e i dementi che tanto non si rendono conto, via quelli con l’Aids che tanto non guariscono, via gli handicappati, via gli scemi e i drogati». Parole di Herbert Choen, olandese, 64 anni, ebreo, uomo che nel lager ha perso tutta la famiglia. Parole di un dottore che aiuta a dire basta nell’unico paese al mondo in cui l’eutanasia è stata depenalizzata e dove l’80 per cento della popolazione l’ha approvata.

Parole di un dottore che ci tiene a spiegare perché: «In Olanda l’eutanasia è l’ultima scelta, da voi potrebbe essere la prima. Voglio dire che da noi esiste un buon sistema sanitario che si prende cura dei vecchi, un’ottima assistenza a casa, dei centri antidolore molto attrezzati per i malati terminali, che voi non avete, e infine un rapporto adulto con il paziente e un’educazione reciproca».

La Repubblica - Cronaca di Firenze 8.11.1995
Di Emanuela Audisio

GUERRA DELLA BIOETICA

Ha idee chiare e poca ritrosia ad esprimerle Francesco D’Agostino, docente di filosofia del diritto all’università romana di Tor Vergata.

Vediamo un altro tema scottante: l’eutanasia.

«Intanto smettiamola di dire che poiché è lecito il suicidio, deve essere lecita anche l’eutanasia che non sarebbe altro che una forma di suicidio assistito. È un argomento fuorviante. C’è un’enorme letteratura che dimostra come sia il suicida, sia il malato che chiede di essere soppresso, lo fa perché si sente abbandonato affettivamente. C’è anche una prova statistica: il malato isolato a casa sua chiede più frequentemente la morte di quello che vive la sua fase terminale in corsia, con altri malati e che partecipa a un’esperienza di comunità sia pure di comunità di sofferenza».

Già, la sofferenza. Il dolore fisico e mentale dei malati terminali. Davvero ritiene etico non assecondare il desiderio che tutto finisca?

«Le cure palliative hanno risolto quasi completamente il problema della sofferenza. Invocarla a favore dell’eutanasia è ormai soltanto uno slogan. Ma voglio ammettere che resti un’aliquota di persone che chieda comunque la morte. Qui nascono problemi etici molto gravi. Cosa deve fare il medico? Deve trasformarsi da terapeuta in soppressore di vita? E perché proprio lui? Chiunque è in grado di uccidere, non soltanto il medico».

Forse per il fatto che spesso all’eutanasia si contrappone l’accanimento terapeutico.

«Ma l’accanimento è condannato, non solo dagli studiosi di etica, ma anche dalla Chiesa. Già Pio XII riteneva lecito somministrare analgesici a malati terminali, anche nel caso in cui si rischiasse di affrettarne la morte. L’eutanasia è un problema diverso e il Parlamento europeo ha proposto una cosa inaccettabile quando ha sostenuto che la richiesta incessante e continua di un malato terminale “deve” essere soddisfatta».

Tribunale USA dà ragione a Kevorkian. «Ha lenito le sofferenze del paziente»

Eutanasia non è reato, assolto il dottor Morte

WASHINGTON — Jack Kevorkian, il «dottor Morte» che predica il diritto al suicidio e che in quattro anni ha aiutato venti persone a togliersi la vita, è stato ieri assolto dal tribunale di Detroit. L'assoluzione segna una svolta nel braccio di ferro sulla libertà di morte: apre la strada alla legittimazione dell'assistenza al suicidio in tutti gli Stati Uniti.

Jack Kevorkian, 64 anni, alle spalle una lunga storia di battaglie sul filo della legge, era stato incriminato per il suicidio di Thomas Hyde, 30 anni. Il giovane, colpito dal morbo di Gehrig, aveva chiesto che si mettesse fine alle sue sofferenze. Ha spiegato in tribunale il dottor Morte: «Gli ho applicato sul volto una maschera contenente monossido di carbonio. Non tanto per farlo morire, quanto per sopire il suo tormento». Quando è stata emessa la sentenza, il pubblico in aula ha applaudito e il giudice ha fatto fatica a imporre l'ordine.

Determinante durante il processo, durato due settimane, è stata la deposizione della fidanzata del suicida, che in lacrime ha detto: «Lo amavo molto. La sua vita era diventata un inferno, la malattia lo aveva reso irriconoscibile. Sono grata a Kevorkian. Sono certa che Thomas è più felice in cielo». Ai giurati sono bastate otto ore per decidere l'innocenza: il capo della giuria ha addirittura espresso parole di elogio per Kevorkian. «Non mi pento di quanto ho fatto — aveva dichiarato l'imputato —. Ho assistito un essere umano nel momento del suo massimo bisogno. E sono deciso ad assisterne altri».

Corriere della Sera 3.5.1994

GLI ALTRI

L'Olanda ha fatto «scandalo» Ma sono i danesi i più liberali

E' lecito concedersi e concedere una «dolce morte»? Ecco la situazione in alcuni Paesi.

OLANDA — Il Senato dell'Aja ha da poco definitivamente approvato un provvedimento che rende il medico «non perseguibile penalmente» se egli — aiutando un suo paziente a morire — avrà rispettato una serie di regole molto chiare. Pur restando un reato «l'omicidio del consenziente». Ecco le 4 condizioni base. 1) Il malato deve aver espresso la sua volontà in modo coerente e ripetuto nel tempo; 2) Le sue condizioni devono essere state giudicate irreversibili; 3) Le sofferenze devono risultare non sopportabili; 4) Un secondo medico deve venire interpellato.

DANIMARCA — La legge regola, e in alcuni casi consente, l'eutanasia. Il malato può indicare un medico di fiducia che si opponga a «un accanimento terapeutico».

CANADA — Nel 1992 un tribunale ha imposto a un ospedale di «staccare la spina» in un polmone di acciaio a una donna che aveva chiesto di essere lasciata morire. Sul tema è stata proposta una riforma del Codice penale.

GIAPPONE — L'eutanasia, attiva e passiva, è espressamente vietata dalla legge.

GRAN BRETAGNA — Bocciate tre proposte di legge a favore della Dolce morte nonostante i sondaggi popolari indichino il favore della popolazione e l'Associazione dei medici abbia detto sì all'idea di un «testamento sull'eutanasia».

FRANCIA/SPAGNA — Hanno una legislazione ambigua o incompleta.

Corriere della Sera 3.5.1994

L'eutanasia è un reato?

PRO

1. In un sistema sanitario carente potrebbe tradursi in un genocidio: via i vecchi, i dementi, i drogati.
2. È una morale utilitaristica mirante a eliminare vite giudicate inutili.
3. È stata usata per scopi di pianificazione della razza dal regime nazista.
4. Potrebbe essere usata per scopi folli da qualche medico.
5. I paesi che l'hanno depenalizzata (come l'Olanda), hanno abbracciato la cultura della morte.
6. Solo la Natura/il Creatore possono togliere la vita a un uomo.
7. In una malattia ci possono essere cambiamenti repentini e, a volte, miracolosi.
8. Una diagnosi potrebbe essere errata.
9. Il malato la richiede perché si sente abbandonato affettivamente (come il suicida).
10. Viene richiesta dai malati che passano molto tempo in solitudine.
11. Le cure palliative possono risolvere quasi del tutto la sofferenza.
12. Il medico è un terapeuta. Non può essere un soppressore di vita.
13. Chiunque è in grado di uccidere. Perché deve essere un medico a farlo?

CONTRO

1. Non è un reato se un paziente la richiede in un testamento quando è cosciente.
2. Se la condizione è irreversibile è inutile perpetuare la sofferenza.
3. Se la pena di morte e l'aborto sono legali in molti paesi, perché non dovrebbe essere così anche per l'eutanasia?
4. Se è praticata senza problemi su animali sofferenti, perché non è lecito esercitarla su pazienti che la richiedono?
5. Può far risparmiare ai familiari del paziente e allo Stato inutili cure costose senza speranza.
6. Porre fine alla sofferenza è il massimo bisogno di un paziente terminale.
7. Ognuno ha diritto di fare le proprie scelte su se stesso.
8. Non rende il medico un criminale ma semplicemente un "assistente al suicidio".
9. Il medico mette a servizio la sua conoscenza per un giusto fine.
10. Certe malattie fanno perdere la dignità: l'eutanasia pone fine alla sofferenza fisica e alla depressione.

24

Il referendum è l'unico strumento efficace per una vera democrazia?

Marco Pannella

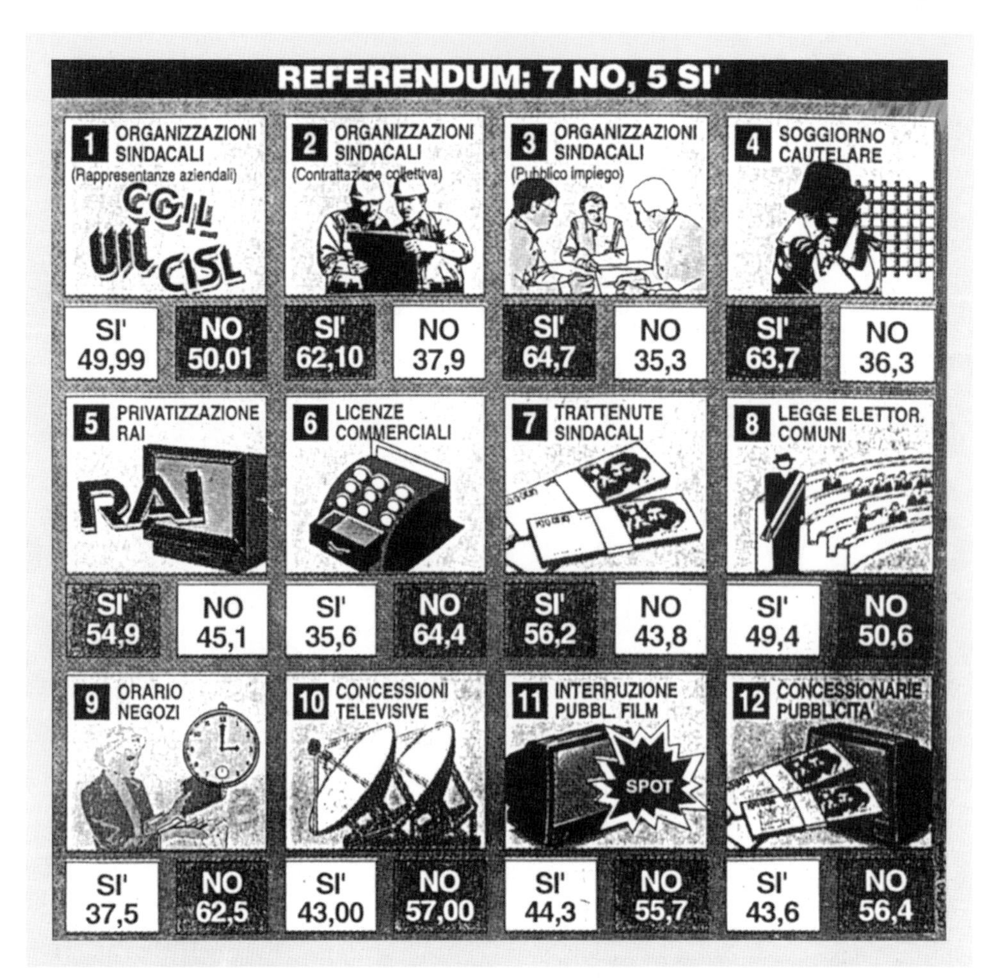

(I risultati dei 12 referendum dell'11.6.1995)
La Nazione, 13.6.1995

ROMA - Marco Pannella il giorno dopo. Da vincitore. È stanco perché ha trascorso la notte saltando da una riunione all'altra, dalle Tv alla radio radicale. È il momento dell'analisi politica, dei programmi per il futuro e non si sottrae alle domande.

- C'è già qualcuno che progetta di varare una legge per rendere più difficoltoso il ricorso ai referendum...

«Non è una novità. Una prima legge per limitare i referendum l'hanno presentata nel 1977. D'altra parte a ostacolare i referendum ci ha già pensato la Corte Costituzionale con interpretazioni astruse come quella che portò a votare nel 1974 e non nel 1973 il referendum sul divorzio. Quindi niente di nuovo. La Corte Costituzionale in questi vent'anni è riuscita a impedire i grandi referendum per costringerci a fare surrettizi referendum propositivi.

La Nazione, 13.6.1995

L'ANTITALIANO

Giorgio Bocca

La campagna sul referendum è stata la fiera delle bugie.

Ho scritto su questo giornale che reputo nocivo alla democrazia di questo paese, se non esistenziale, l'uso dissennato e demagogico dei referendum, dal quale viene delegittimato l'organo fondamentale della democrazia: il Parlamento. Parlo dei referendum che si prestano alle persuasioni di chi detiene grandi poteri e intende andare ad assolutismi plebiscitari, e che affidano alla quantità dei cittadini, alle masse, il compito di scegliere e di decidere in questioni complesse che quasi sempre ignorano.

SVIZZERA

Piano coi referendum

La democrazia diretta nuoce alla democrazia. Così gli elvetici ora vogliono limitarla

CHI HA DETTO CHE LA DEMOCrazia diretta elvetica è la migliore possibile? Sicuramente non gli svizzeri che, proprio in questi giorni hanno deciso di rivedere uno dei pilastri della loro vita istituzionale: il referendum. L'istituto referendario che affascina e desta invidia ad altre latitudini, in Svizzera va perdendo colpi rischiando di diventare un vuoto simulacro. A tal punto che il partito radicale elvetico, una delle forze politiche di destra che compongono la maggioranza, dalle cui fila proviene, tra l'altro, il presidente della Confederazione Kaspar Villiger, ha deciso di metterci mano. Non certo per ampliarlo, quanto piuttosto per riportarlo a una dimensione più contenuta.

«Il moltiplicarsi degli oggetti sottoposti al voto popolare e la modesta partecipazione degli elettori mostrano che gli strumenti esistenti hanno perso efficacia», ha commentato recentemente il senatore radicale René Rhinow presentando una proposta destinata, senza dubbio, a far discutere. Il problema è proprio questo: gli svizzeri passano la metà della loro esistenza a votare e l'altra metà a pensare su cosa votare. Risultato: si va alle urne per decidere sull'adesione della Confederazione all'Onu, ma anche sulla necessità di tenere in vita i piccioni viaggiatori dell'esercito. Se poi si pensa che la partecipazione al voto si situa tra i 30 e il 50 per cento, ci si rende conto dei dubbi che stanno assalendo il mondo politico elvetico. Non solo: sono molti coloro che temono l'uso populistico dello strumento referendario - soprattutto da parte di alcuni partiti della minoranza - che va mettendo in crisi l'attività di governo e Parlamento.

Ecco quindi la duplice soluzione ventilata dai radicali: aumentare il numero delle firme necessarie alla presentazione di un referendum - attualmente 100 mila per l'iniziativa popolare e 50 mila per il referendum abrogativo - e istituire un organismo di vigilanza che esprima un parere vincolante sul quesito prima della raccolta delle firme. La proposta dovrebbe inserirsi nella revisione totale della Costituzione federale, già messa in cantiere dal governo, la cui entrata in vigore è prevista entro il 1998.

Per la Svizzera si tratta di una vera e propria rivoluzione. Nella quale gioca e giocherà un ruolo determinante il malcontento che, ultimamente, va dilagando non solo tra la popolazione, ma anche tra i partiti. Da una parte infatti sono molti i leader politici che si lamentano del continuo vanificarsi del lavoro portato avanti dal governo federale che, sempre più spesso, deve fare i conti con la mannaia dei referendum. Non ultimo il ministro socialista delle finanze Otto Stich il quale, qualche tempo fa, suggerì che per annullare il lavoro dei legislatori con un voto popolare occorresse almeno una percentuale significativa di elettori iscritti nelle liste. Vi è poi l'altra faccia della stessa medaglia. L'inflazione di voti alla quale sono sottoposti gli svizzeri induce, paradossalmente, una stagnazione legislativa che va diffondendo, proprio tra gli stessi cittadini, una generale insoddisfazione.

Le istituzioni perdono appeal: lo evidenzia il sondaggio condotto dall'istituto lucernese Demoscope secondo il quale un numero sempre crescente di svizzeri non si fida né del governo federale, né di quelli cantonali o comunali. Su mille persone tra i 15 e i 74 anni interviste solo il 2 per cento ha dichiarato di avere assoluta fiducia nei confronti di Berna. Un bel calo rispetto al sondaggio del '79 quando, alla stessa domanda, rispose affermativamente il 16 per cento. Durante l'ultima sessione delle Camere, svoltasi a Berna una settimana fa, il presidente Villiger si è sentito in dovere di fare un appello ai propri concittadini. «La maggior parte degli svizzeri», ha detto, «è attualmente in balia di diffidenza, disgusto, trasformazione e perdita di valori, ma non dimentichiamo che la Confederazione, rispetto ad altri paesi, resta avvantaggiata dal suo moderno sistema politico». Moderno, sì, ma non abbastanza.

Otto Stich

Ciotilde Veltri

Il referendum è l'unico strumento efficace per una vera democrazia?

PRO

1. Il parlamento non è affidabile perché fa troppi compromessi e giochi di potere.
2. Solo l'opinione diretta di ogni cittadino è legittima.
3. È l'unico modo per far si che la volontà dei cittadini sia rispettata in pieno.
4. Semplifica le questioni politiche: ci si deve schierare da un lato o dall'altro senza vie di mezzo.
5. Rafforza la coscienza dei cittadini su questioni politiche che resterebbero nel disinteresse generale.
6. Avvicina il cittadino allo Stato: così ci si sente veramente parte delle istituzioni.
7. La democrazia diretta è la massima espressione di civiltà.
8. Proporre e attuare un referendum è un processo molto lungo e difficile. I comitati promotori non lo fanno per far perdere tempo ai cittadini.
9. Se migliaia di cittadini si mobilitano per richiedere un referendum, è ovvio che molte esigenze non sono state soddisfatte a livello parlamentare.

CONTRO

1. Ci sono troppi temi sottoposti al voto.
2. L'eccessivo numero di referendum finisce col creare disinteresse tra gli elettori.
3. I dati sulla scarsa partecipazione al voto dimostrano che la democrazia diretta non è poi così perfetta.
4. Informarsi sui temi da votare richiede troppo tempo e conoscenze tecnico-legislative.
5. Allo Stato costa troppi soldi fare un referendum.
6. Ci sono deputati e senatori pagati per svolgere il loro lavoro: perché scaricare l'onere sui cittadini?
7. Può diventare uno strumento populistico di pura propaganda per altri fini politici.
8. Distrae l'attenzione da questioni sociali più complesse e non risolvibili con un semplice voto.
9. Spesso sono coinvolte complesse questioni tecniche che la gran parte dei cittadini ignora o non è pronta a valutare.
10. Può rallentare o complicare il processo legislativo.
11. Dovrebbe essere usato solo per questioni fondamentali e non sistematicamente.

Indice per argomento

Elenco delle pubblicazioni utilizzate

1. È GIUSTO TENERE UN ANIMALE IN CITTÀ?
L'Espresso, 27.1.1995
Elle, ottobre 1995
Donna Moderna, 7.9.1995
Eco-La nuova ecologia, giugno 1995
Famiglia cristiana, 3.5.1995

2. LE CITTÀ DI OGGI SONO LUOGHI INVIVIBILI DA CUI SI DEVE FUGGIRE?
La nuova ecologia, novembre 1991
Donna Oggi, 27.7.1995
Il Sole-24 Ore, 18.12.1995
L'Espresso, 10.2.1995

3. I SOLDI FANNO LA FELICITÀ?
La Repubblica, 23.11.1995
L'Espresso, 31.3.1995 (2 art.)
Gente, 11.9.1995

4. MEGLIO ESSERE GRASSI CHE INFELICI?
D - La Repubblica delle Donne, 9.7.1996
L'Espresso, 9.6.1995
L'Espresso, 24.2.1995
Donna Oggi, 10.8.1995

5. LA DONNA DI OGGI SI REALIZZA SOLO NELLA CARRIERA?
L'Espresso, 3.3.1995
Marie Claire, novembre 1995
Donna Moderna, 16.11.1995
Moda, marzo 1994
Anna, 28.9.1994

6. NEI LUOGHI PUBBLICI VA PROIBITO IL FUMO?
La Repubblica, 29.11.1995
La Repubblica, 29.9.1995
Habitat-mensile di gestione faunistica, giugno 1993
La nuova ecologia, giugno 1992
Famiglia cristiana, 12.4.1995

7. È AMMISSIBILE IL TRADIMENTO ALL'INTERNO DELLA COPPIA?
Marie Claire, luglio 1995
Il Venerdì (la Repubblica), 29.9.1995
Il Venerdì (la Repubblica), 13.10.1995
Famiglia cristiana, 5.4.1995
L'Espresso, 14.7.1995

8. LE BUONE MANIERE FANNO PARTE DI COSTUMI ORMAI SORPASSATI?
Donna Moderna, 10.1.1996 (2 art.)
Famiglia cristiana, 1.2.1995
La Repubblica, 30.9.1995
Donna Oggi, 19.10.1995

9. MEGLIO SINGLE CHE MAL ACCOMPAGNATI?
L'Espresso, 3.12.1995 (3 art.)
Gioia, 2.9.1995
La Nazione, 13.10.1995
Grazia, 29.9.1995

10. GLI INGAGGI DELLE STAR DELLO SPORT E DELLO SPETTACOLO SONO ECCESSIVI?
La Nazione, 7.7.1995 (2 art.)
Famiglia cristiana, 5.4.1995
L'Espresso, 24.3.1995
Chi, 10.3.1995

11. IL FEMMINISMO È UN MOVIMENTO CHE NON HA PIÙ RAGIONE DI ESISTERE?
Moda, marzo 1994
Gioia, 9.9.1995
L'Espresso, 16.6.1995
Gioia, 30.9.1995

12. LE MEDICINE ALTERNATIVE SONO MIGLIORI DI QUELLA TRADIZIONALE?
La nuova ecologia, marzo 1993
L'Espresso, 3.2.1995
Eco-La nuova ecologia, gennaio 1995
Donna Oggi, 10.8.1995 (2 art.)

13. È CRUDELE INDOSSARE LE PELLICCE?
La nuova ecologia, febbraio 1994 (2 art.)
Eco-la nuova ecologia, gennaio 1995
Donna Oggi, 19.9.1995
Il Giornale 11.10.1990

14. BISOGNA FAR DI TUTTO PER CERCAR DI VIVERE IL PIÙ A LUNGO POSSIBILE?
Salute-supplemento alla Repubblica, 11.11.1995 (2 art.)
La Repubblica, 4.10.1995
L'Espresso, 27.1.1995
Il Venerdì (La Repubblica), 10.11.1995

15. ABBIAMO BISOGNO DI UNA NUOVA SPIRITUALITÀ?
La Repubblica, 6.11.1995

Famiglia cristiana, 5.4.1995
La Repubblica 24.12.1995 (2 art.)
Marie Claire, luglio 1995

16. ANCHE LE DONNE DEVONO FARE IL SERVIZIO MILITARE?
Eco-La nuova ecologia, gennaio 1995
Donna Moderna, 16.11.1995
Grazia, 9.10.1994
Colors, n. 14, 1996

17. GLI SPORT PERICOLOSI DOVREBBERO ESSERE ABOLITI?
La Repubblica, 10.7.1995
Corriere della Sera, 3.5.1994
Corriere della Sera, 4.5.1994
Corriere della Sera, 5.5.1994

18. BISOGNA CHIUDERE L'INGRESSO AGLI EXTRACOMUNITARI?
Gioia, 4.11.1995
La Nazione, 16.10.1995
La Repubblica (Cronaca di Firenze), 13.10.1995
D - La Repubblica delle Donne, 28.5.1996
L'Espresso, 1.10.1995

19. È LECITO USARE PAROLE E IMMAGINI PROVOCATORIE NELLE PUBBLICITÀ?
Donna Moderna, 12.10.1995 (2 art.)
L'Espresso, 25.8.1995
L'Espresso, 8.10.1995 (2 art.)

20. È NATO L'UOMO OGGETTO?
Gioia, 9.9.1995
Panorama, 6.8.1994
Donna Oggi, 10.8.1995
Donna Moderna, 7.12.1995

21. BISOGNA CHIUDERE TUTTI GLI ZOO DEL MONDO?
La nuova ecologia, settembre 1991
La nuova ecologia, aprile 1993 (2 art.)

22. SI PUÒ VIVERE AL GIORNO D'OGGI SENZA INTERNET?
L'Espresso, 3.12.1995
L'Espresso, 7.4.1995
La nuova ecologia, dicembre 1993
Multimedia, n. 21, 1995
La Repubblica, 1.10.1995
D - La Repubblica delle Donne, 21.5.1996

23. L'EUTANASIA È UN REATO?
La Repubblica (Cronaca di Firenze), 8.11.1995
L'Espresso, 20.1.1995
Corriere della Sera, 3.5.1994 (2 art.)

24. IL REFERENDUM È L'UNICO STRUMENTO EFFICACE PER UNA VERA DEMOCRAZIA?
L'Espresso, 15.6.1995
L'Espresso, 30.6.1995
La Nazione, 13.6.1995 (2 art.)

FOTOGRAFIE:

p. 9 Mauro Guerrini
» 13 Andrea Sozzi Sabatini
» 13 Mauro Guerrini
» 21 PBC
» 25 Sandra Brandini
» 29 PBC
» 37 PBC
» 41 PBC
» 45 Pietro Cinotti
» 49 Augusto Mattioli
p. 61 Marco Bruni
» 65 Bruno Coccoluto
» 69 Ileana Modica Innocenti
» 73 Marco Fortunato
» 77 Mauro Agnesoni
» 79 Gianluca Pizzichi
» 81 Lionello Amic
» 89 Silvana Viti
» 90 Marco Bruni
» 91 Roberto Tiezzi

Si ringrazia il SIENA FOTO CLUB per la cortese collaborazione.

L'italiano per stranieri

Amato
Mondo italiano
testi autentici sulla realtà sociale e culturale italiana
- libro dello studente
- quaderno degli esercizi

Ambroso e Stefancich
Parole
10 percorsi nel lessico italiano
esercizi guidati

Avitabile
Italian for the English-speaking

Barki e Diadori
Pro e contro 1
conversare e argomentare in italiano
livello intermedio
- libro dello studente
- guida per l'insegnante

Battaglia
Grammatica italiana per stranieri

Battaglia
Gramática italiana para estudiantes de habla española

Battaglia
Leggiamo e conversiamo
letture italiane
con esercizi per la conversazione

Battaglia e Varsi
Parole e immagini
corso elementare di lingua italiana
per principianti

Bettoni e Vicentini
Imparare dal vivo **
lezioni di italiano - livello avanzato
- manuale per l'allievo
- chiavi per gli esercizi

Buttaroni
Letteratura al naturale
autori italiani contemporanei
con attività di analisi linguistica

Camalich e Temperini
Un mare di parole
letture ed esercizi di lessico italiano

Cherubini
L'italiano per gli affari
corso comunicativo di
lingua e cultura aziendale
- manuale di lavoro
- 1 audiocassetta

Diadori
Senza parole
100 gesti degli italiani

Gruppo META
Uno
corso comunicativo - primo livello
- libro dello studente
- libro degli esercizi e sintesi di grammatica
- guida per l'insegnante
- 3 audiocassette

Gruppo META
Due
corso comunicativo - secondo livello
- libro dello studente
- libro degli esercizi e sintesi di grammatica
- guida per l' insegnante
- 4 audiocassette

Gruppo NAVILE
Dire, fare, capire
l'italiano come seconda lingua
- libro dello studente
- guida per l'insegnante
- 1 audiocassetta

Humphris, Luzi Catizone, Urbani
Comunicare meglio
corso di italiano
livello intermedio-avanzato
- manuale per l'allievo
- manuale per l'insegnante
- 4 audiocassette

Finito di stampare
nel mese di gennaio 1997
dalla Tibergraph s.r.l.
Città di Castello (PG)